HOW TO MAKE THE LETTERS

HOW TO MAKE THE LETTERS

a b c d e f g h i

j k l m n o p q

r s t u v w x y z

A B C D E F G H I

J K L M N O P Q R

S T U V W X Y Z

READINESS UNIT 1

A * HEARING RHYMES

Do they rhyme? Write **yes** or **no.**

1.  yes

2.  no

3.  yes

4.  yes

5. 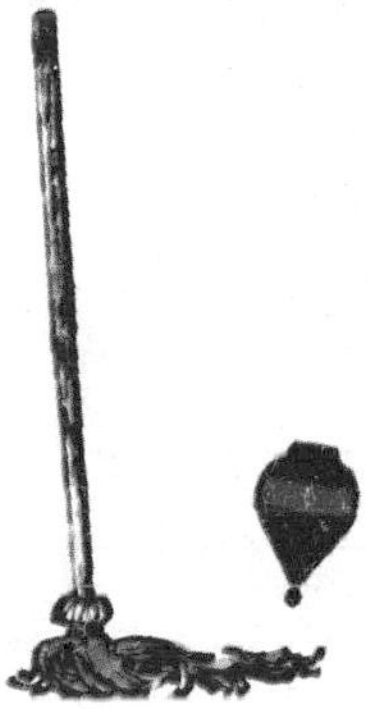 yes

6.  no

7.  yes

8.  yes

9.  no

10.  yes

B * HEARING RHYMES

Do they rhyme? Write **yes** or **no.**

Do they start the same? Write **yes** or **no.**

1.  no

2.  yes

3.

4.

5.

6.

7.

8.

9.

10.

11.

12.

Do they start the same? Write **yes** or **no.**

in Go
is
the the

Pal's House

A cat was ___in___ Pal's house. Pal said,

"________ away. That ________ my house!"

Now ________ cats have ________ house.

READINESS UNIT 2

A * HEARING SOUNDS

Do they start the same? Write **yes** or **no.**

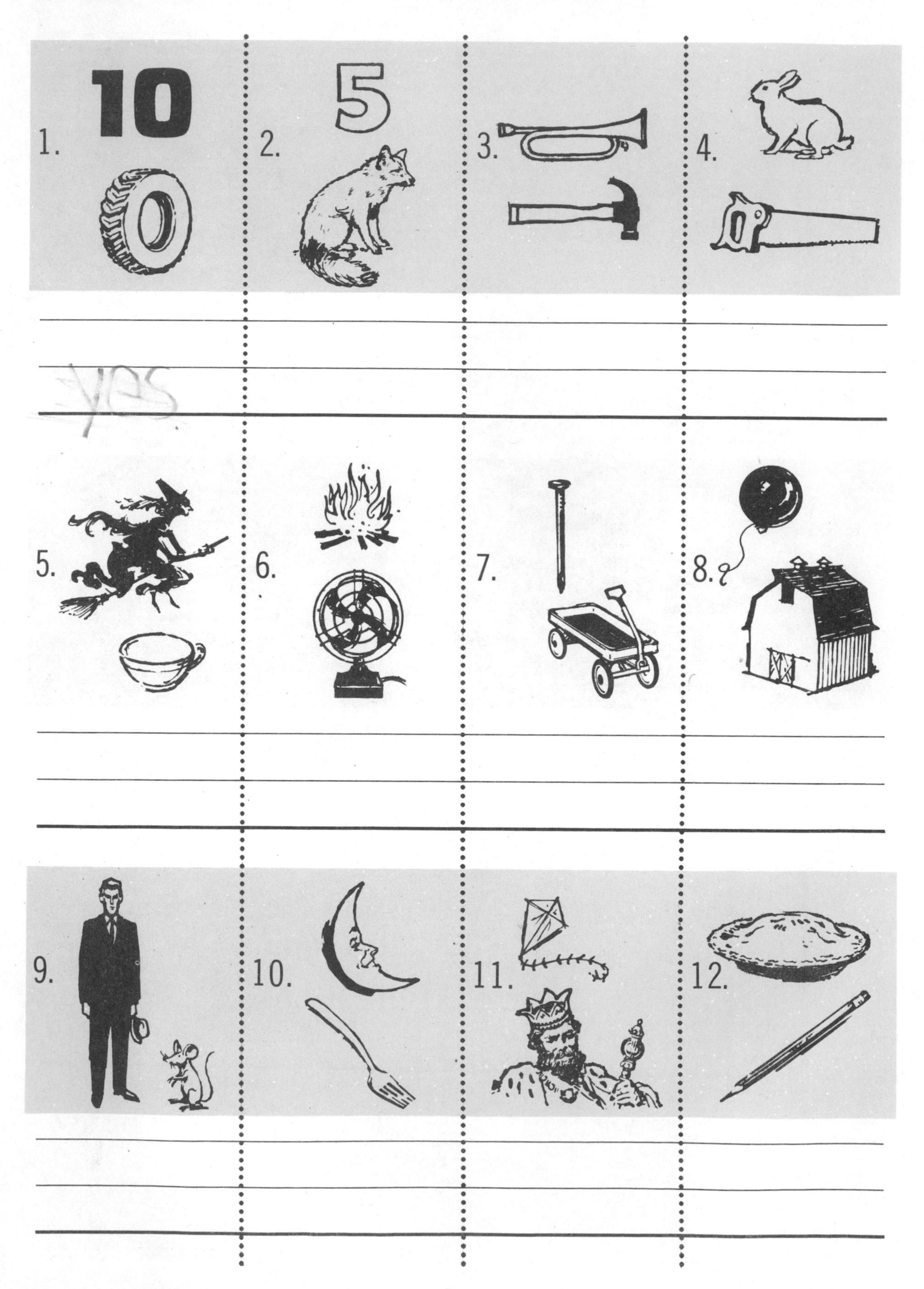

Do they start the same? Write **yes** or **no.**

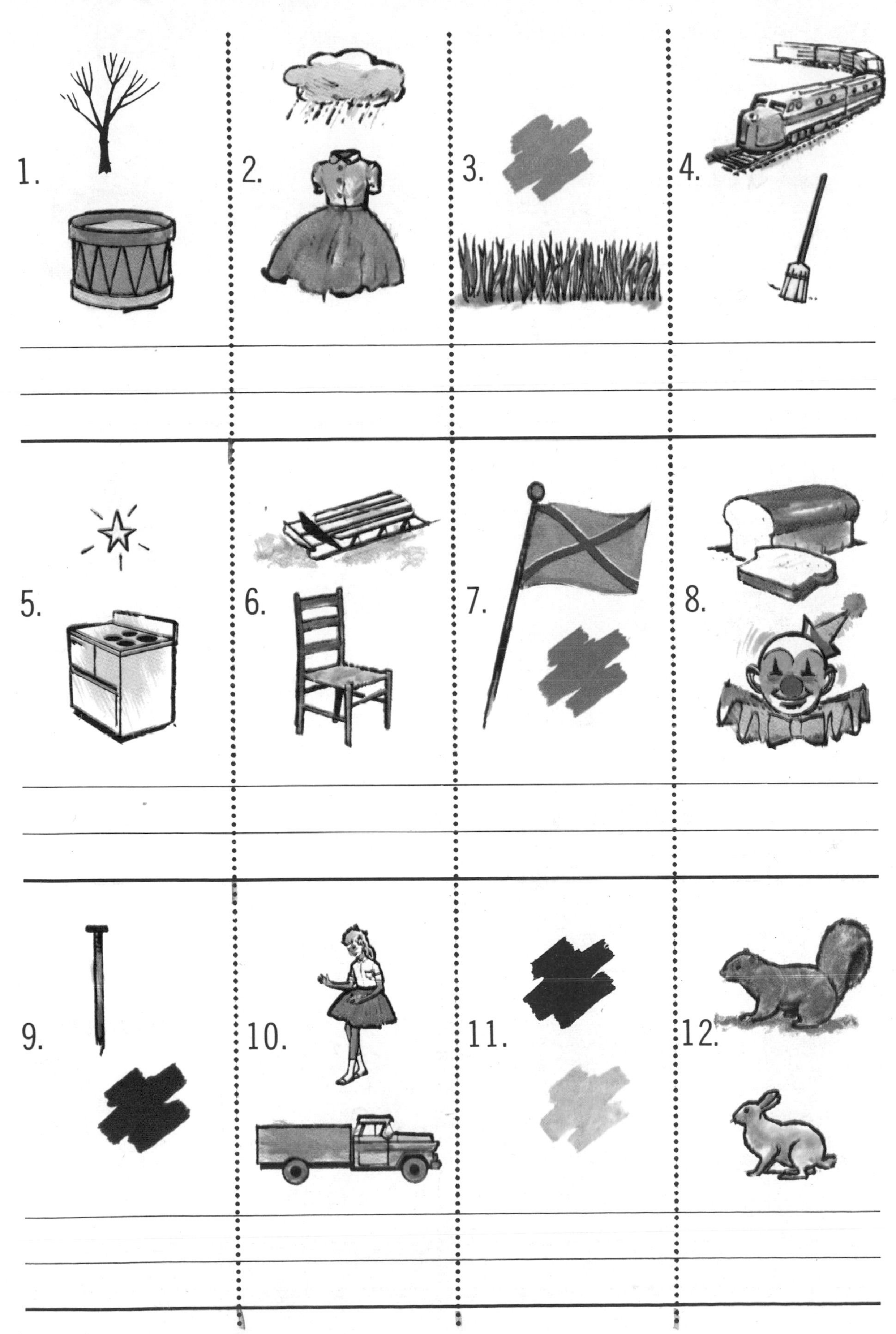

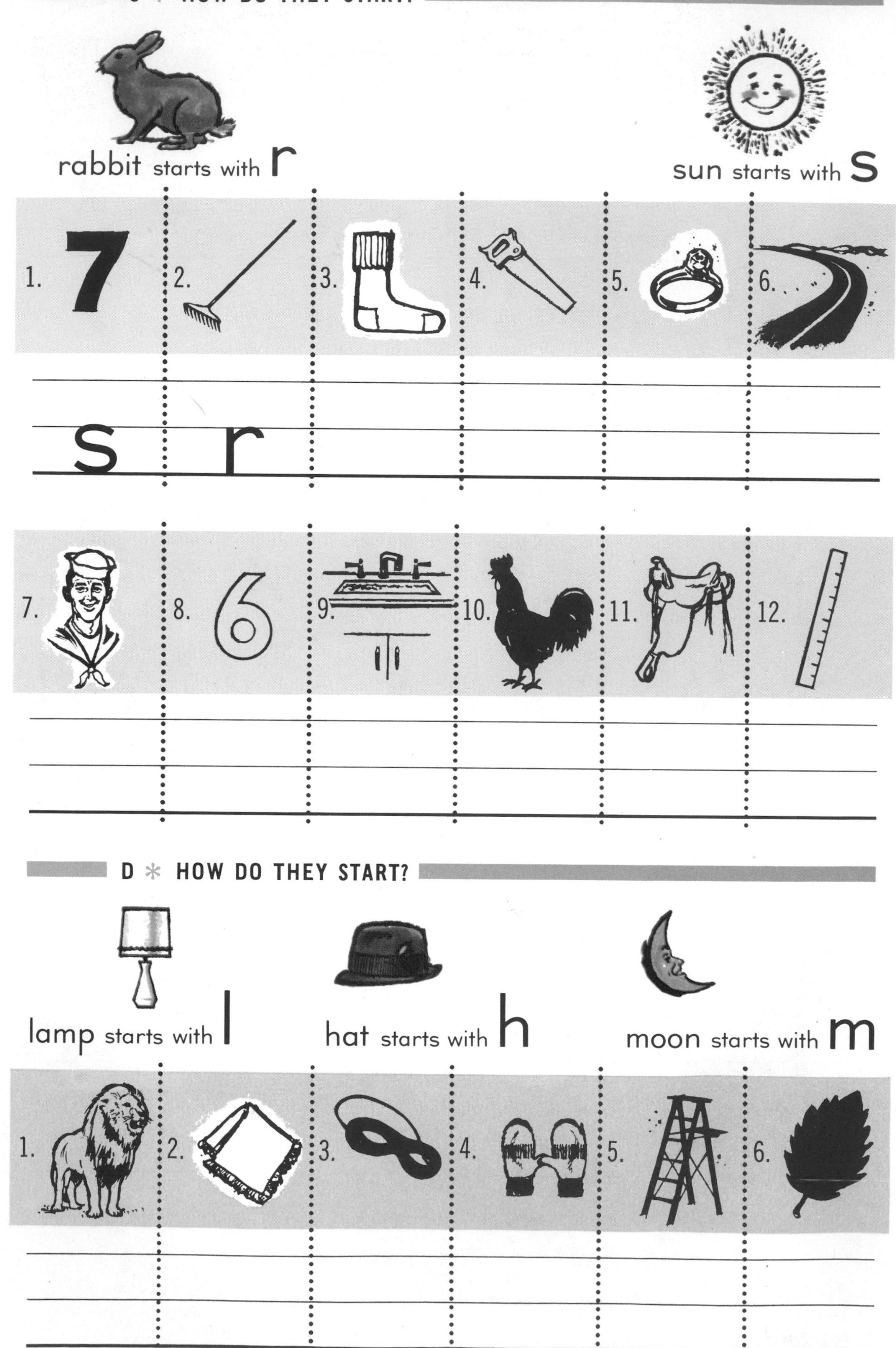
C * HOW DO THEY START?
rabbit starts with r
sun starts with s
1. 7
2.
3.
4.
5.
6.
s
r
7.
8. 6
9.
10.
11.
12.
D * HOW DO THEY START?
lamp starts with l
hat starts with h
moon starts with m
1.
2.
3.
4.
5.
6.

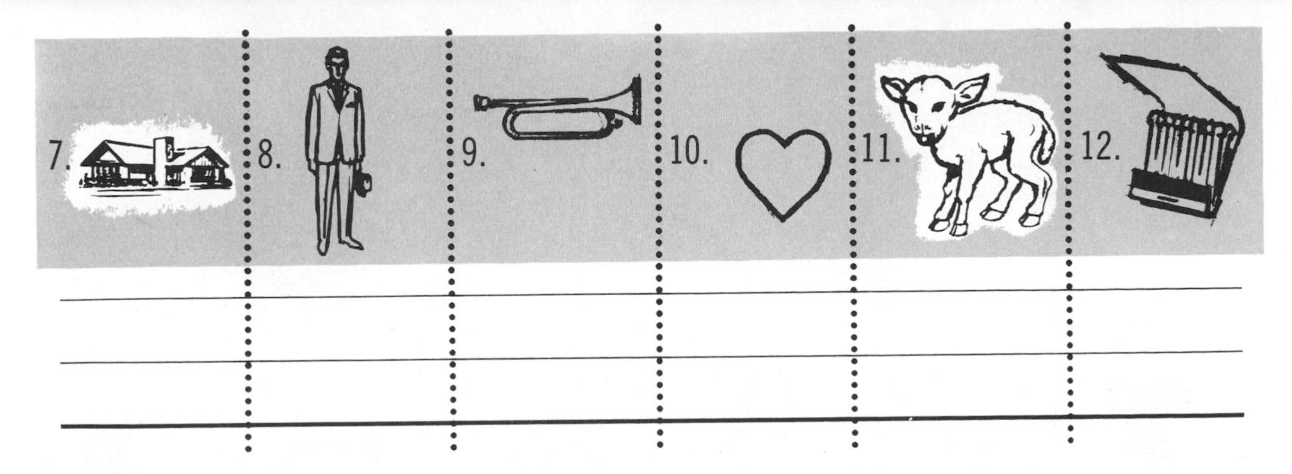

E * WRITE AND READ

her saw hen baby saw baby

Mother Pal

A mother bird fed ________ baby bird.

Pal ________ her. A ________ fed her

________ chicks. Pal ________ her.

Pal fed a ________, too!

READINESS UNIT 3

A * HOW DO THEY START?
fish starts with f
nail starts with n
ball starts with b
1.
2.
3.
4.
5.
6.
7.
8.
9.
10.
11.
12.
B * HOW DO THEY START?
dog starts with d
top starts with t
pig starts with p
1.
2.
3.
4.
5.
6.

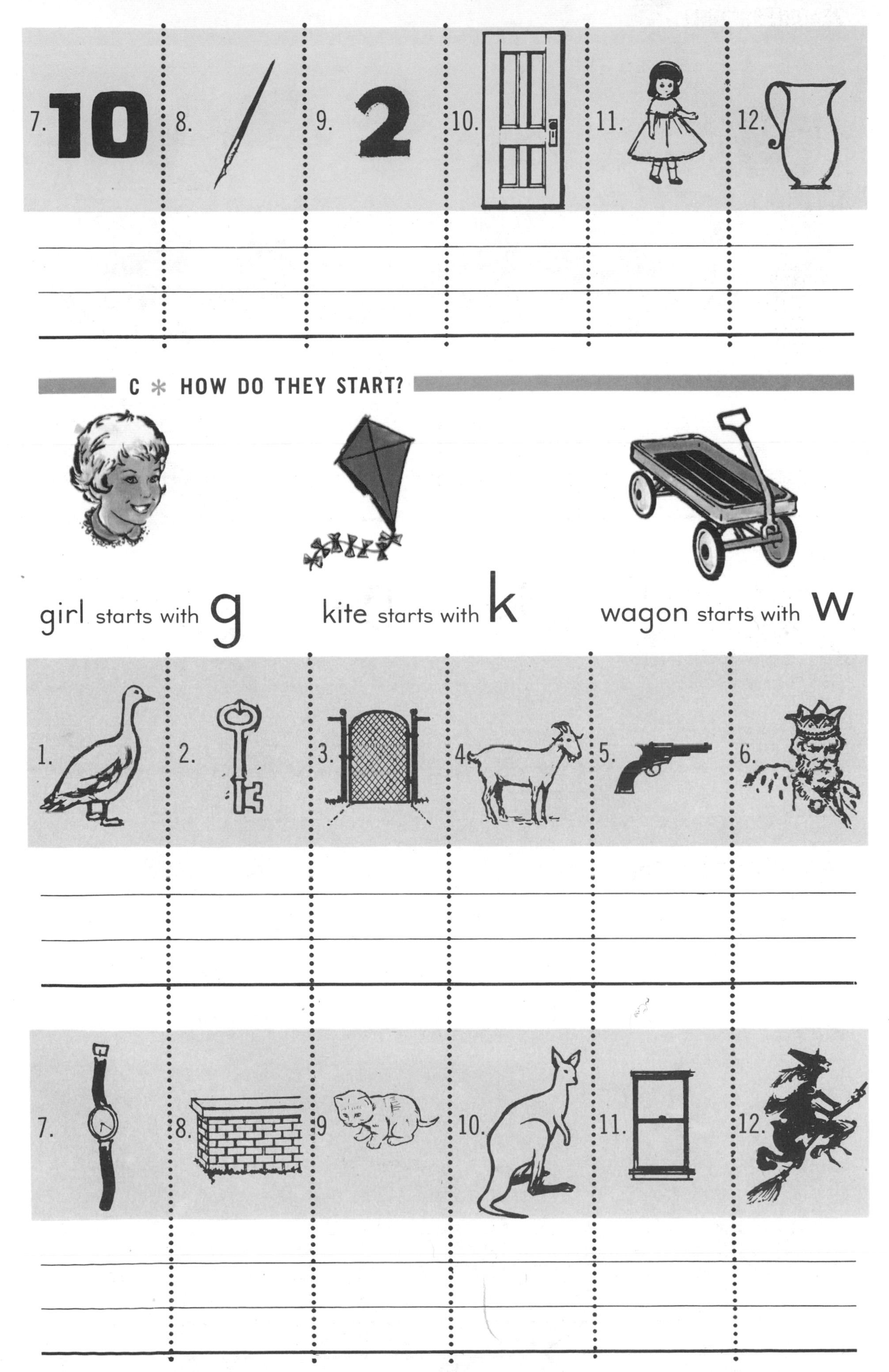
7. 10
8.
9. 2
10.
11.
12.
C * HOW DO THEY START?
girl starts with g
kite starts with k
wagon starts with w
1.
2.
3.
4.
5.
6.
7.
8.
9
10.
11.
12.

b
d
f
g
h
k
l
m
n
p
r
s
t
w

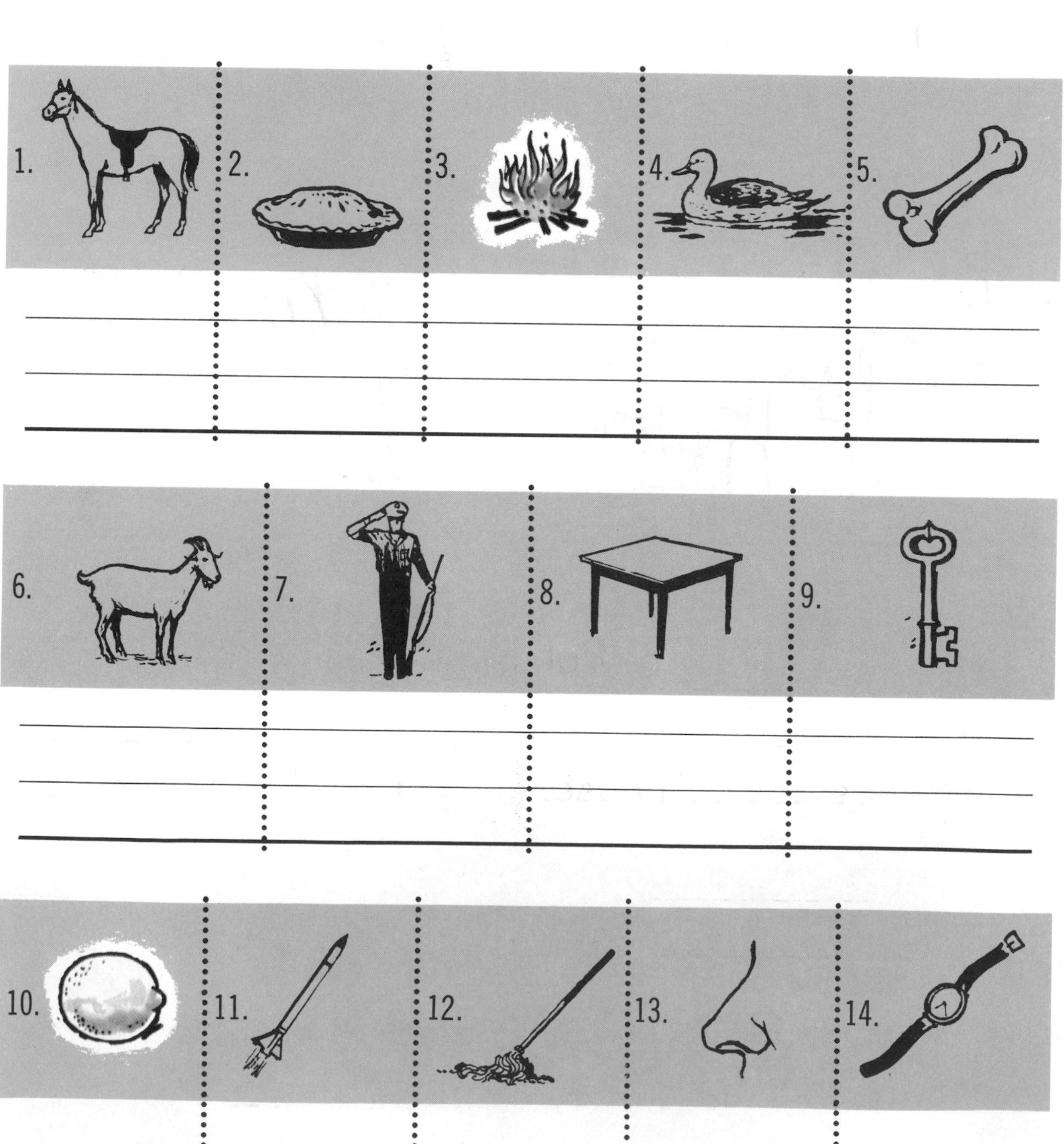
1.
2.
3.
4.
5.
6.
7.
8.
9.
10.
11.
12.
13.
14.

a said

not can

his his

Pal Stays Dry

Pal has ______ house. Pal could ______

go into ______ house.

"I will stop that water," ______ Pal.

Now Pal ______ sit in ______ house.

READINESS UNIT 4

A * HEARING SOUNDS IN WORDS

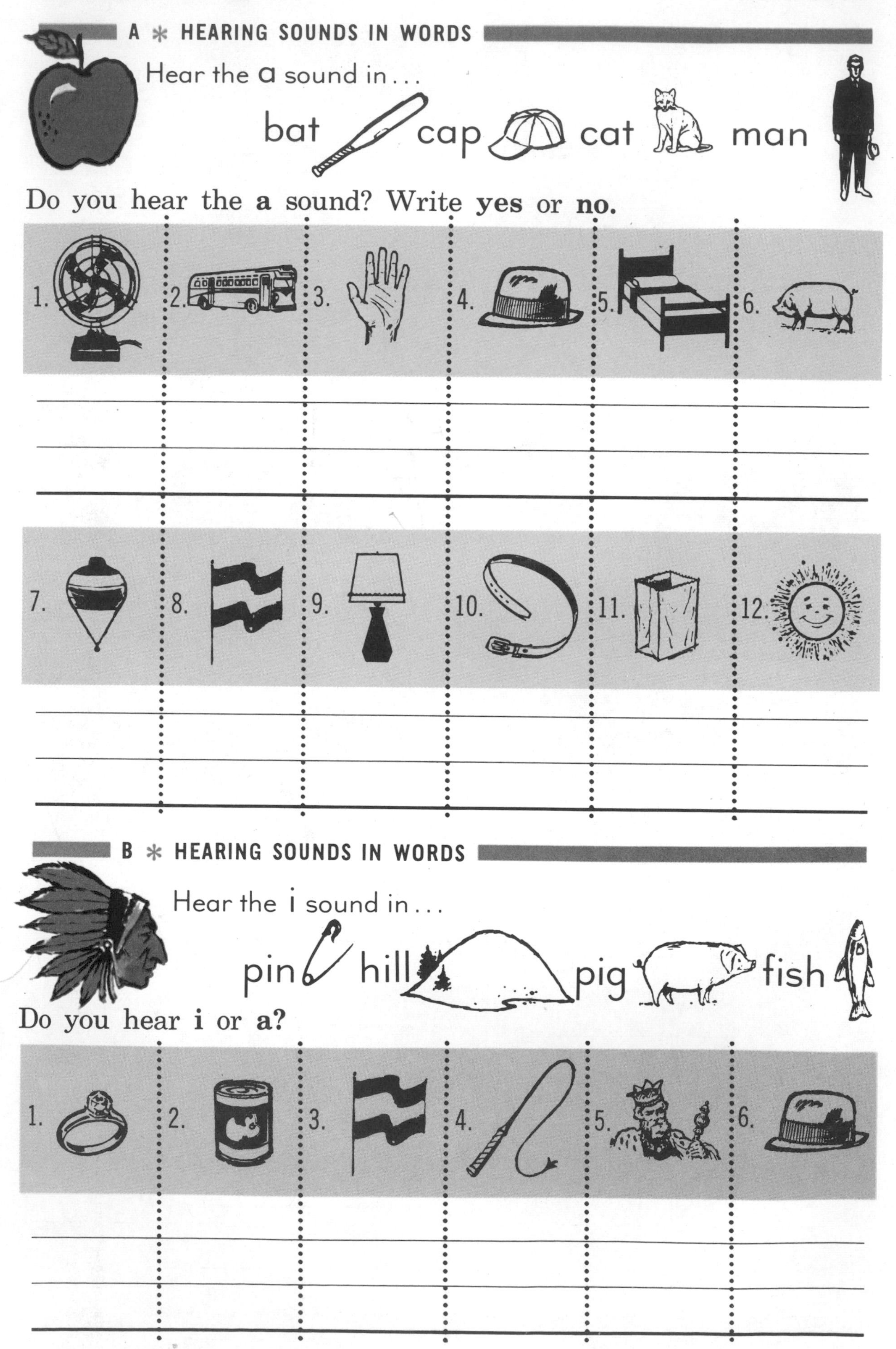

Do you hear the a sound? Write **yes** or **no**.

B * HEARING SOUNDS IN WORDS

Do you hear **i** or **a**?

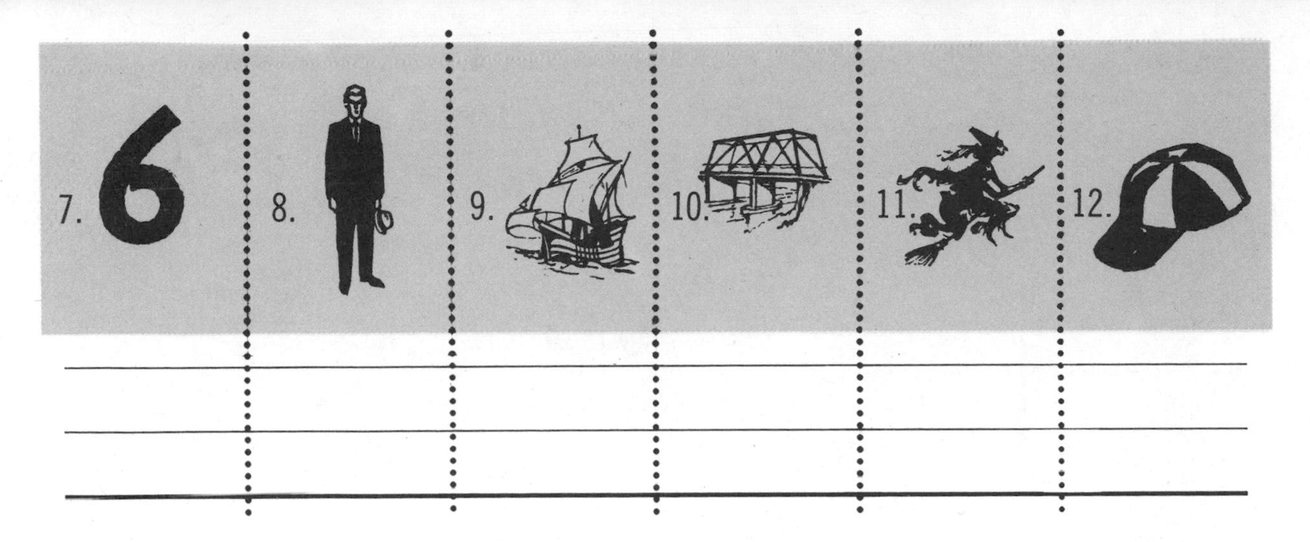

C * HEARING SOUNDS IN WORDS

Hear the o sound in . . .

doll

fox

dot

top

Do you hear **o, a,** or **i?**

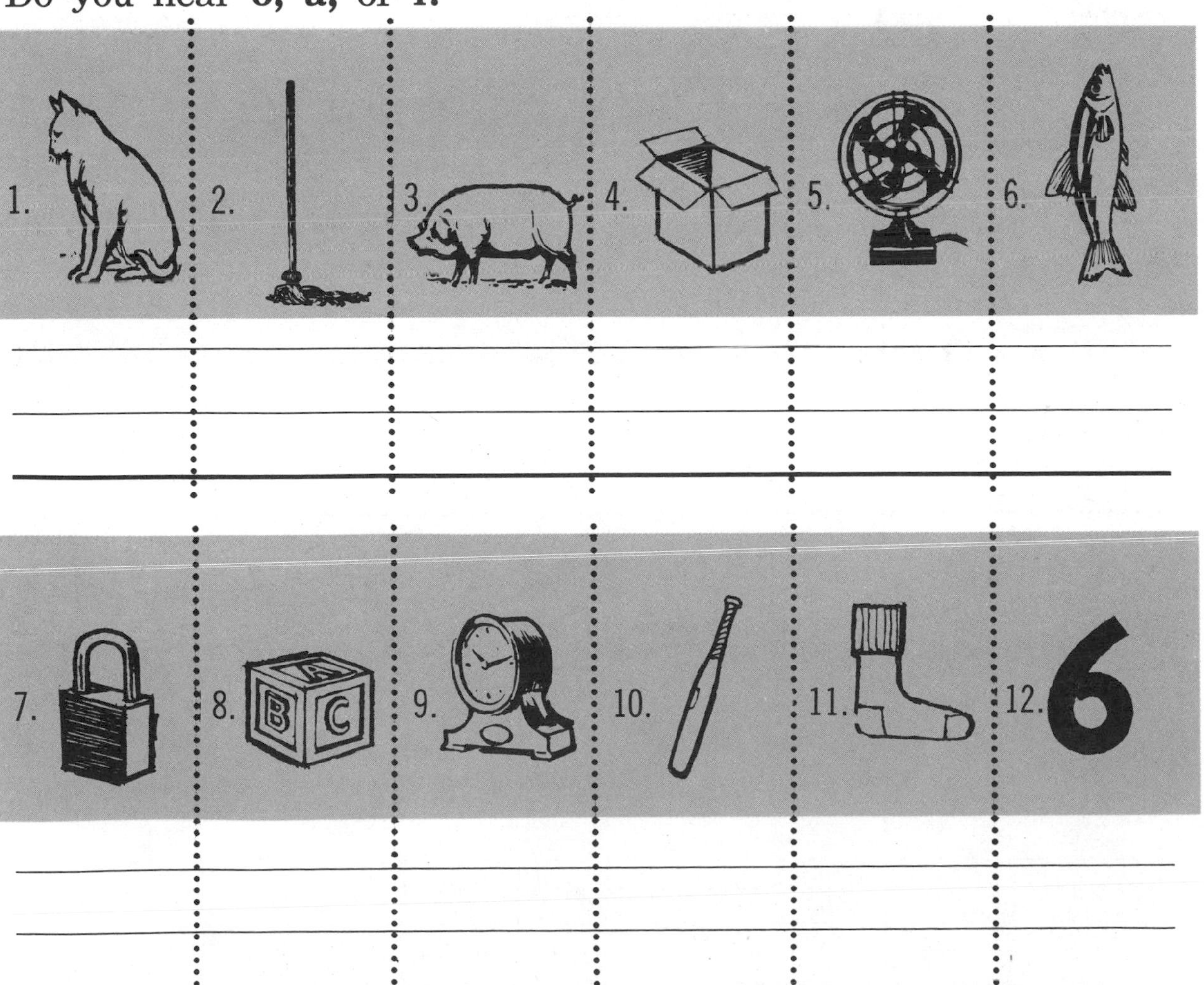

Do you hear **u, a, i,** or **o?**

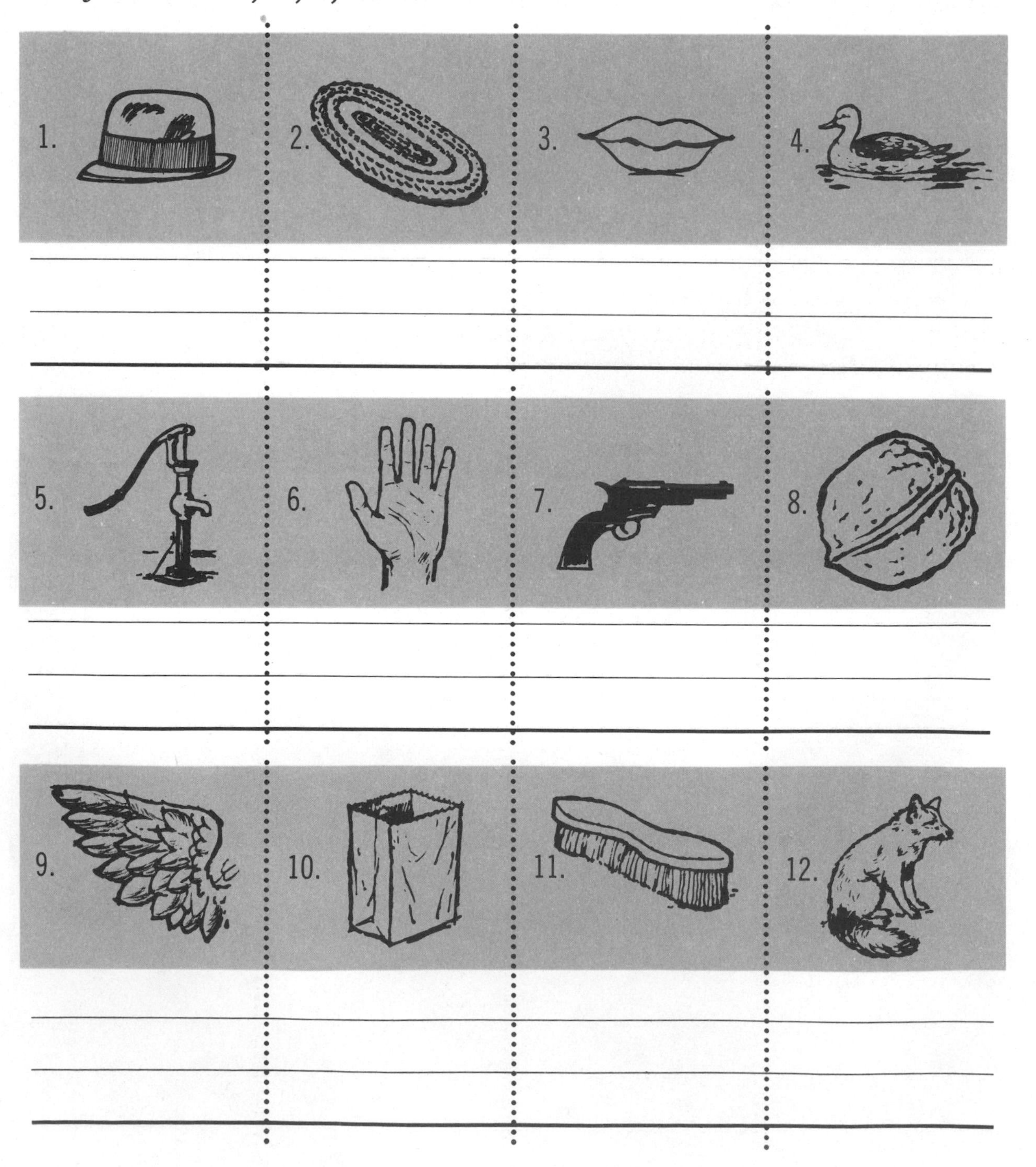

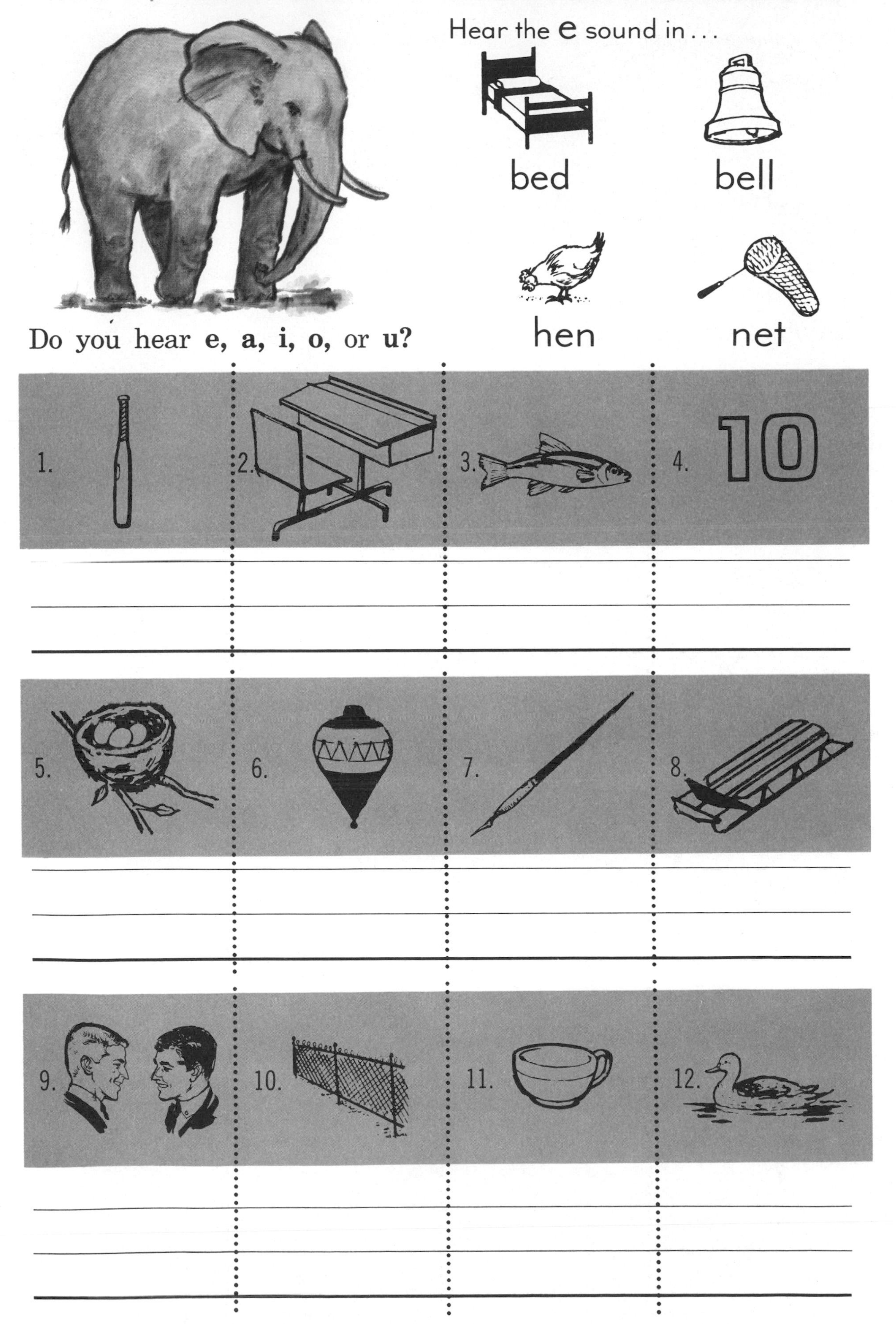
Hear the e sound in . . .
bed
bell
hen
net
Do you hear e, a, i, o, or u?
1.
2.
3.
4.
10
5.
6.
7.
8.
9.
10.
11.
12.

A * HEAR AND SPELL

Say the word. Hear the sounds. Write the word.

1. 

2. 

3. 

4. 

5. 

6. 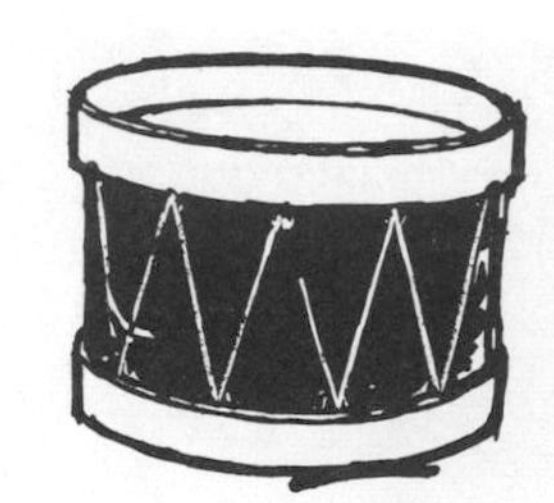

7. 

8. 

9. 

B * HEAR AND SPELL

apple elephant Indian ostrich umbrella

Say the word. Hear the sounds. Write the word.

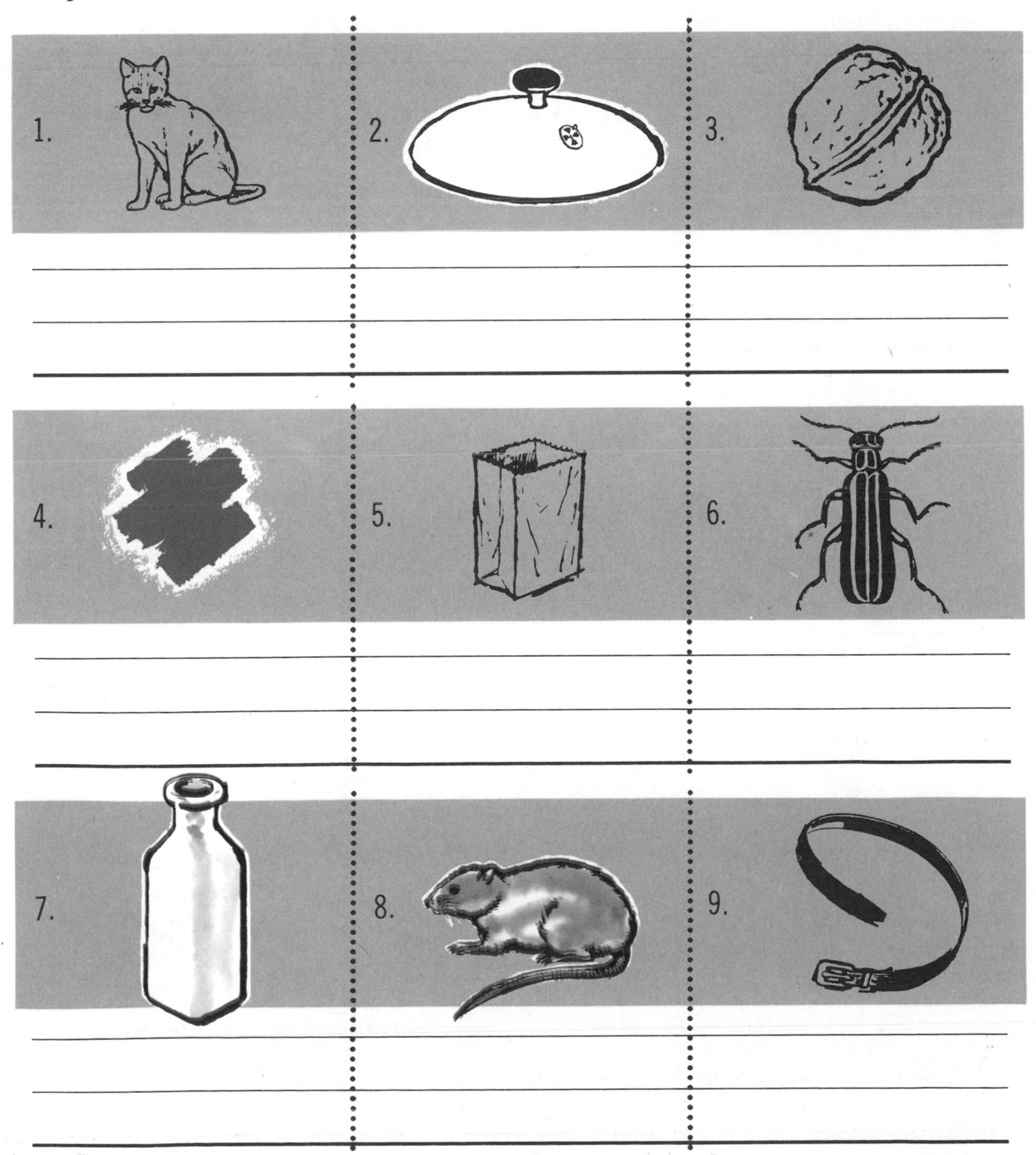

C * HEAR AND SPELL

Say the word. Hear the sounds. Write the word.

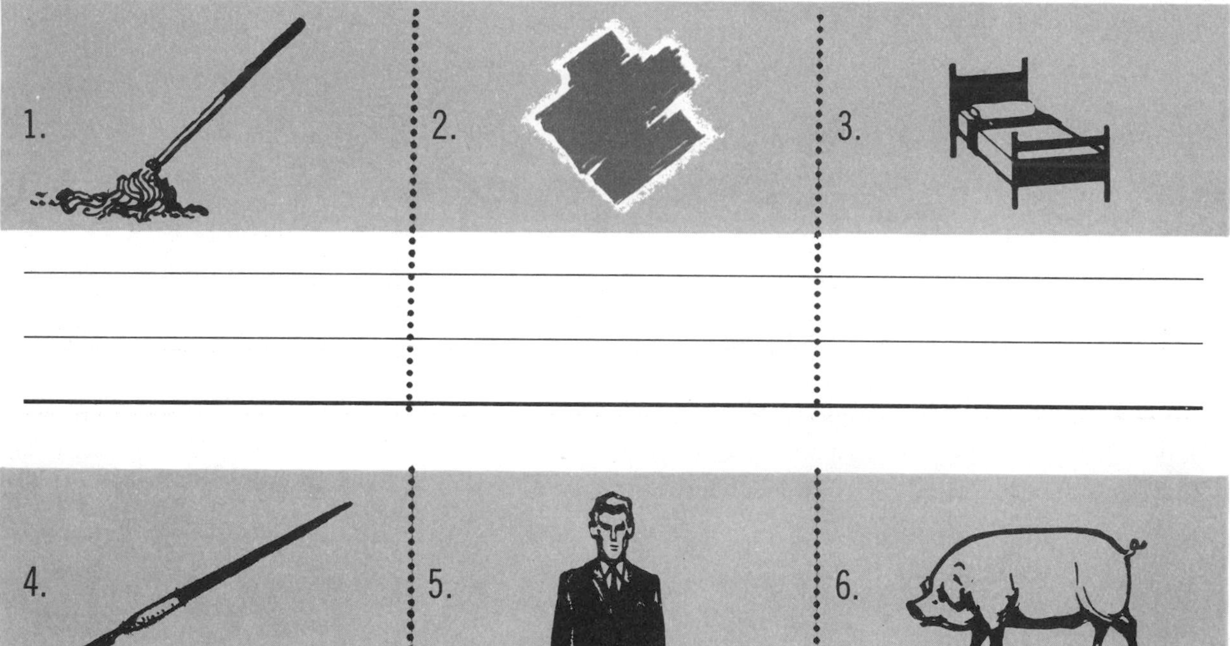

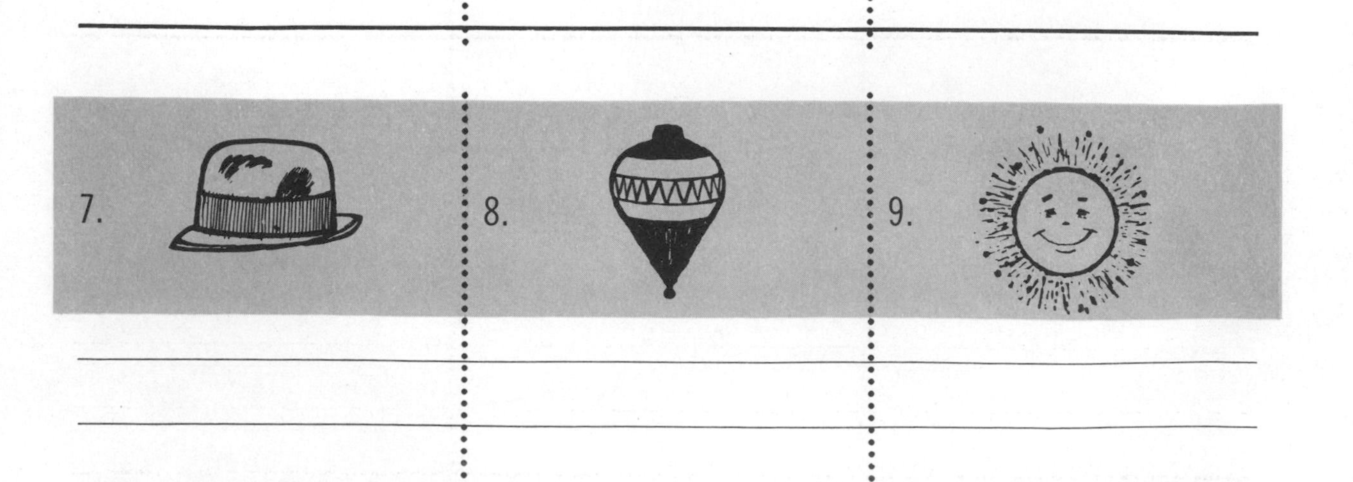

D * HEAR AND SPELL

a e i o u

b d f g h k l

m n p r s t w

Say the word. Hear the sounds. Write the word.

1.

2.

3.

4.

5.

6.

7.

8.

9.

This is a boy. This is a ___ ___ ___.

I am little. I am ___ ___ ___.

I walk. I ___ ___ ___.

I am blue. I am ___ ___ ___.

I jump. I ___ ___ ___.

Do this. Do ___ ___ ___ do this.

A * REVIEW

Which sound starts each of the words? Say the starting letters. Write the starting letters.

B * REVIEW

Do you hear **a, e, i, o,** or **u?** Say the word. Write **a, e, i, o,** or **u.** Make them all right.

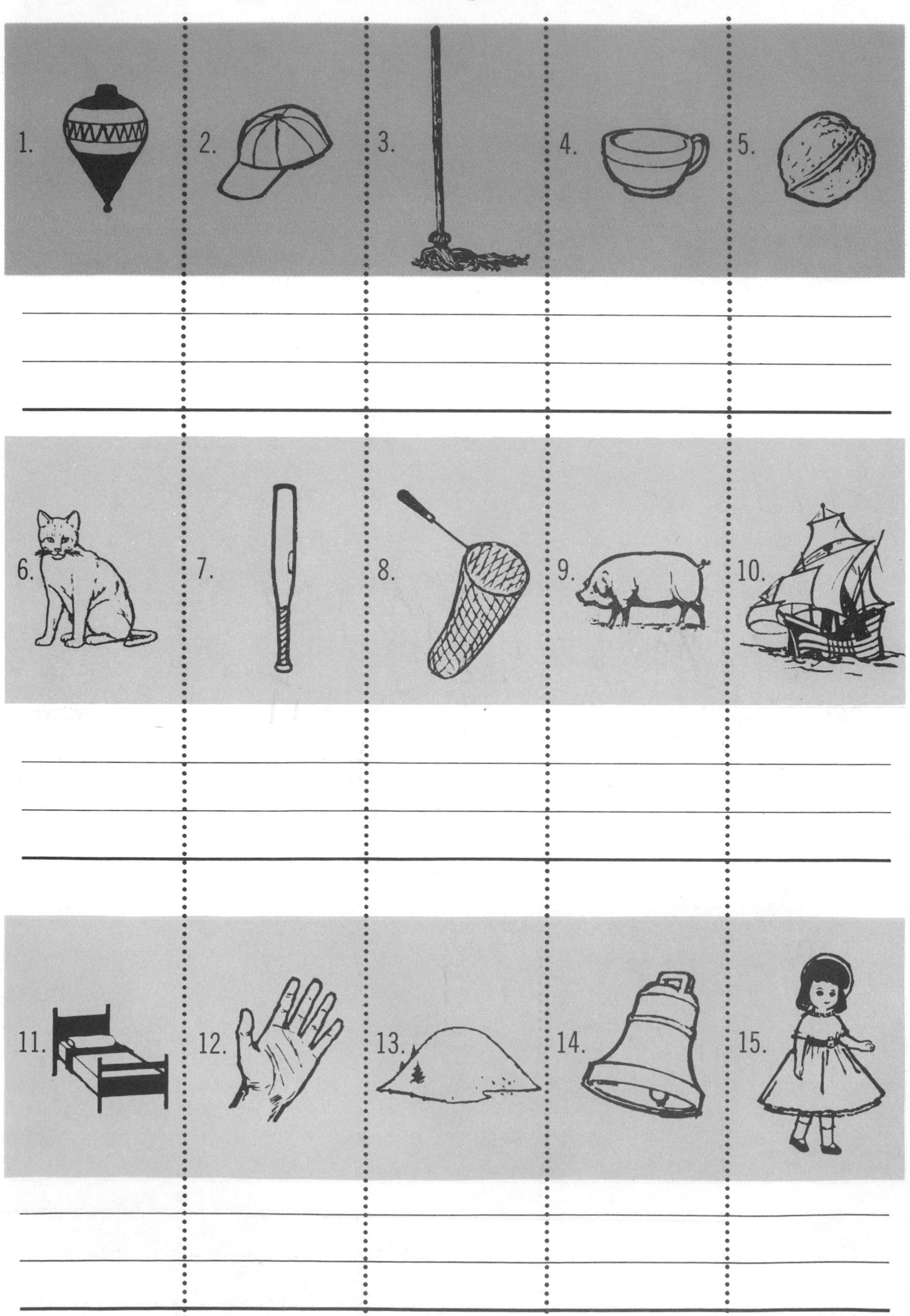

C * REVIEW

Do you hear the last sound? Say the words. Write the last letter. Make sure you are right.

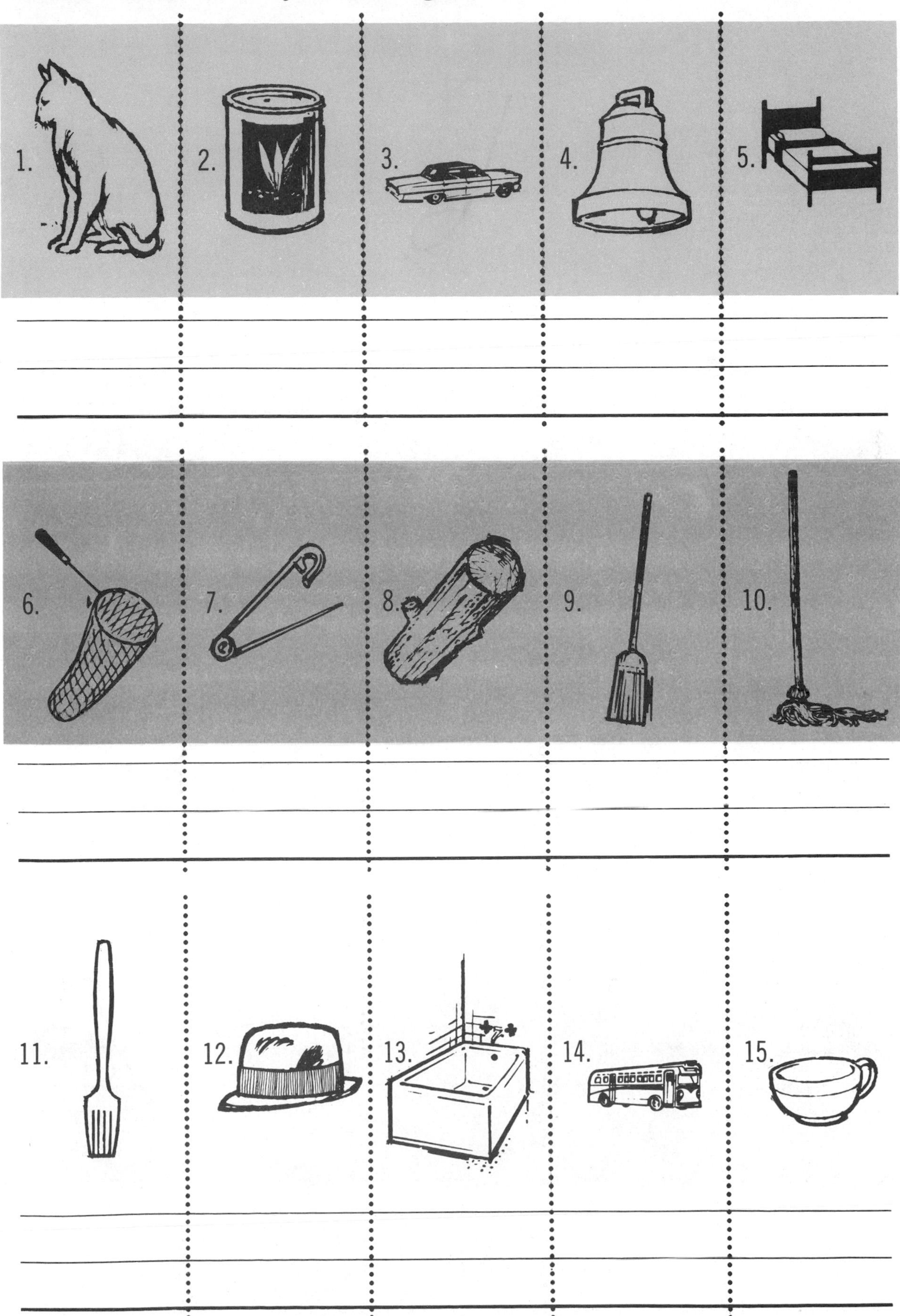

D * REVIEW

Do you hear the first two letters in each of these words? Say each word. Say the first two sounds. Write the first two letters of each word.

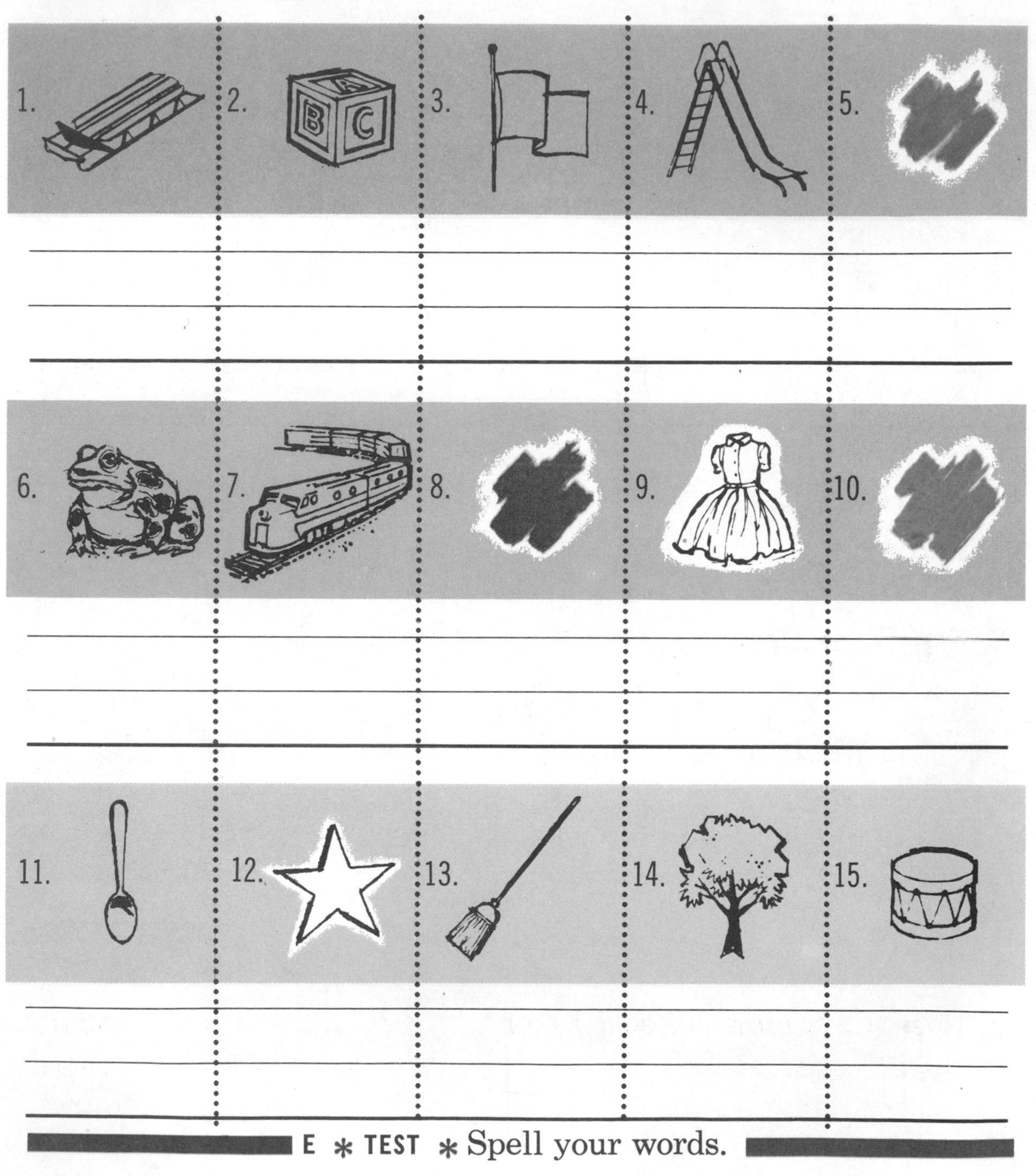

E * TEST * Spell your words.

UNIT 7 PAL COOLS OFF

"It is a hot day," said Pal. But Jack is not hot . . . and Mother is not hot. Now the dog is not hot.

a is it but and dog

A

1. Read the story. Why is Pal cool now?
2. Find **a, it, is, but, and,** and **dog** in the story. Say each word as you draw a line under it.
3. Say the picture words. Hear the starting letters.

B

1. Say **and** and **but.** Look at the words.
2. Does **and** start like [apple] or [umbrella] ? Draw a ring around one.
3. How does [nail] start? ________
4. Say **and.** Hear the **n** sound in **and.** Write **and.** ________
5. Find [ball] . How does it start? ________

6. Hear the sounds in **and** and **but.** Write each word three times.

C

1. Does **dog** start like [desk] or [pipe]? Draw a ring around one.
2. Say **dog** slowly. How many sounds do you hear? ______

   How many letters? ______ Write **dog.** ______
3. Write the word that has only one letter. ______

D

1. Hear the sounds in **is** and **it.** Write **is** and **it.** ______ ______
2. Write **dog, But, and,** and **is** in the story.

dog But and is

Pal Cools Off

One day Jack's ______ was hot. ______

Jack was not hot, ______ Mother was not hot.

Pal ______ not hot now.

* MORE TO DO *

1. 

What does he do?

hop

2. 

What does he do?

3. 4. 5. 

What does it do?

What does Mother do?

What does he do?

6. 

What does he do?

7. 

What did he do?

E * TEST * Turn to page 132.

as has

an man

at hat

A

1. Say the words. Hear the sounds in each word.

2. Which sound is the same in all the words? Write the letter that spells this sound.

3. Which sound ends **at** and **hat?**

4. Which sound starts **hat?**

5. Write **at** and **hat** three times.

B

1. Which sound ends **an** and **man?**

2. Which sound starts **man?**

3. Use **p, r,** and **c** to build new words with **an.**

C

1. Which sound ends **as** and **has?** ________ Which sound starts **has?** ________

2. Write **as** and **has.** ________ ________

3. Use **b, f, r,** and **s** to build new words with **at.**

D

Write each word.

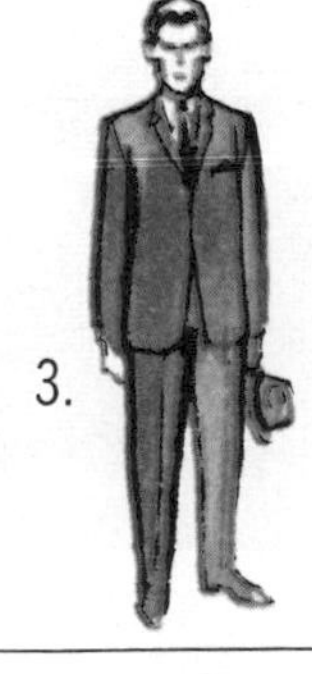

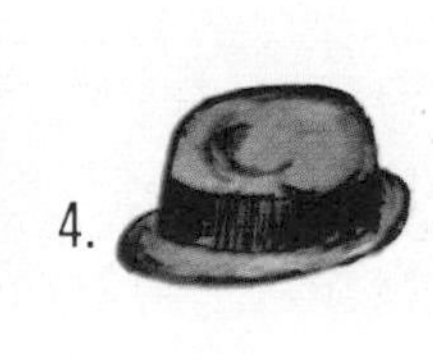

1. ________ 2. ________ 3. ________

4. ________ 5. ________ 6. ________

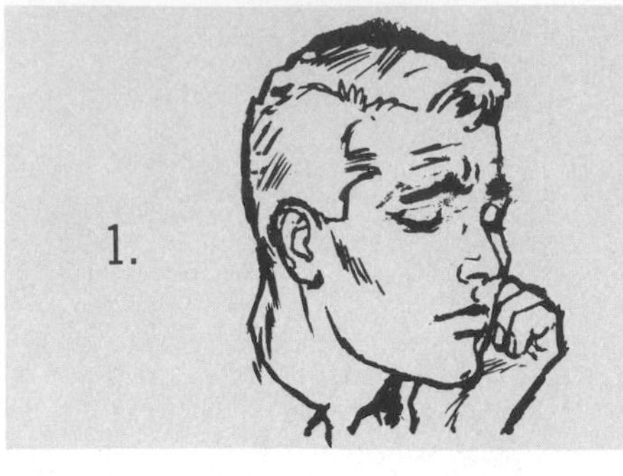

1. How does he look?

2. How does he look?

3. How does she look?

4. How does it look?

5. The boy came in ___.

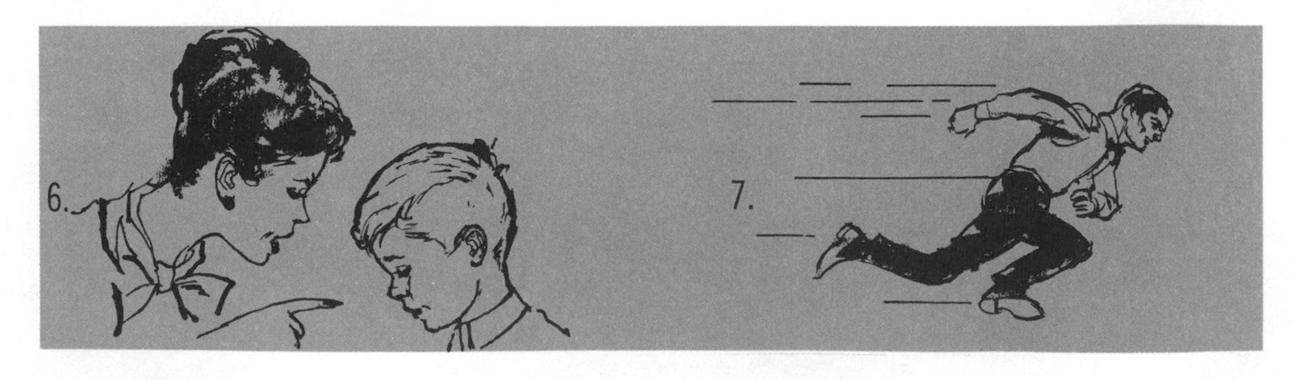

6. How has he been?

7. How is he running?

E * TEST * Turn to page 132.

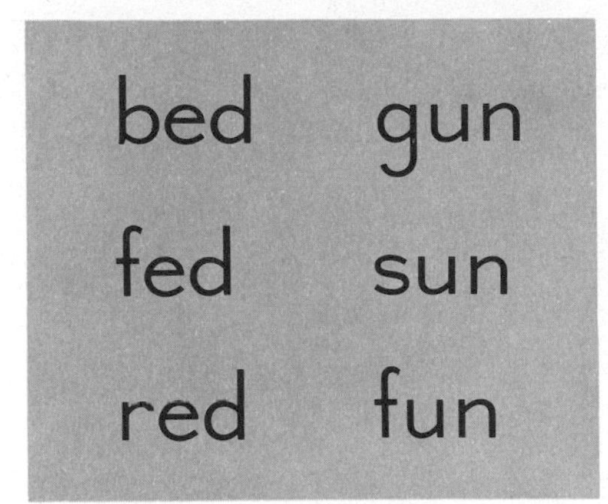

A

1. Read the words. Say each word slowly. Hear all the sounds in each word.
2. How many sounds are there in each word?
3. Write the starting letter of each picture word.

B

1. Which sounds are the same in **bed, fed,** and **red?** ______ ______
2. Which sound starts **bed?** ______ **fed?** ______ **red?** ______
3. Write **bed, fed,** and **red.**

C

1. Which sounds are the same in **gun, sun, fun?** ______ ______
2. Which sounds start **gun, sun, fun?**

a. ______ b. ______ c. ______

3. Write **sun, fun, gun.**

D

1. Write the words that say the names of these three pictures.

a. b. c.

2. Write the words.

Yesterday, we __________ our cat.

Our flag is __________, white, and blue.

Playing ball is __________.

The __________ is hot.

* MORE TO DO *

1\.

2\.

He has a ___ on his head.

The boy has on a ___.

3\.

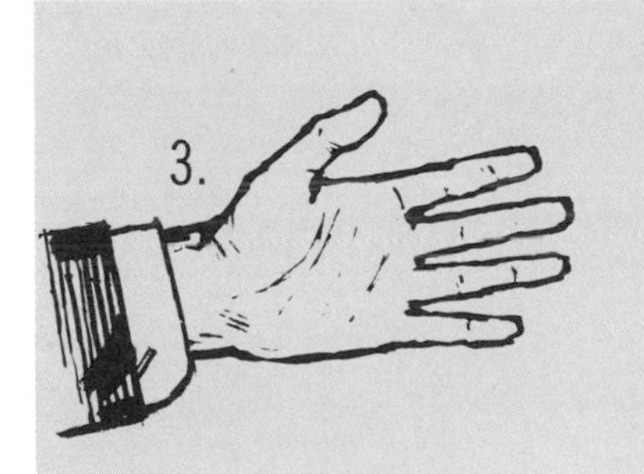

4\.

5\.

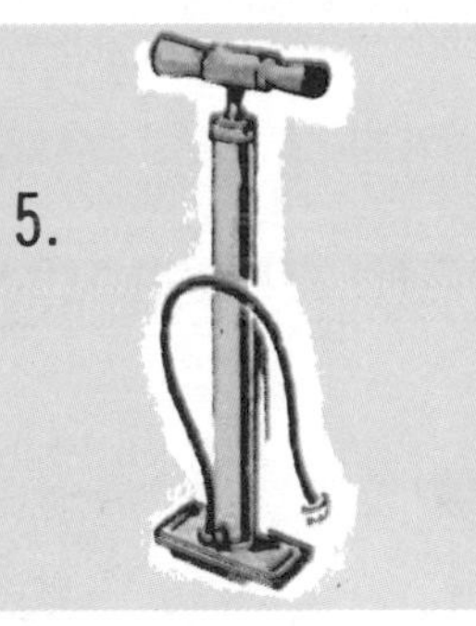

This is a ___.

This is a red ___.

This is a blue ___.

6\.

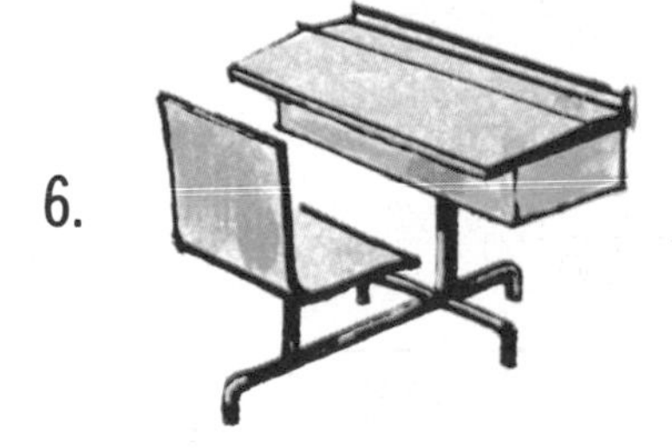

7\.

This is a green ___.

These eggs are in a ___.

E * TEST * Turn to page 132.

sit	run	get
sat	ran	got

A

Write the right word to fill each of the spaces.

Today I __________. Yesterday I __________.

Today I __________. Yesterday I __________.

Today I __________. Yesterday I __________.

b d f g h k l

m n p r s t w

B

1. Draw a ring around the picture word on page 36 that starts like **sit** and **sat**.

2. Which sound ends **sit** and **sat**? ______

3. Which sound do you hear inside **sit**? ______ Inside **sat**? ______

4. Write **sit** and **sat**. ______ ______

C

1. Draw a ring around the picture word that starts like **run** and **ran.**

2. Which sound ends **run** and **ran**? ______

3. Which sound is inside **run**? ______ Inside **ran**? ______

4. Write **run** and **ran** two times.

______ ______ ______ ______

D

1. Draw a ring around the picture word that starts like **get** and **got.**

2. Which sound ends **get** and **got**? ______

3. Which sound is inside **get**? ______ Inside **got**? ______

4. Write **get** and **got**. ______ ______

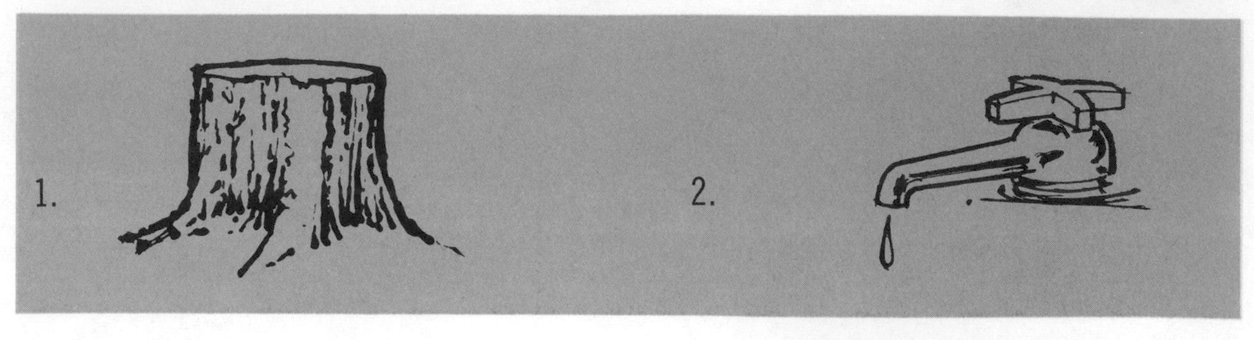

This is an old tree ___.

A ___ of water is falling.

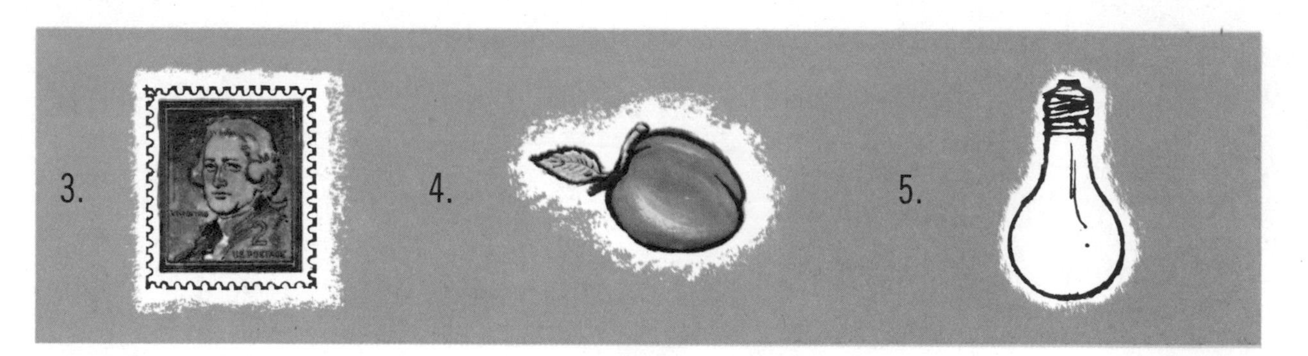

This is a ___.

This is a blue ___.

This is a light ___.

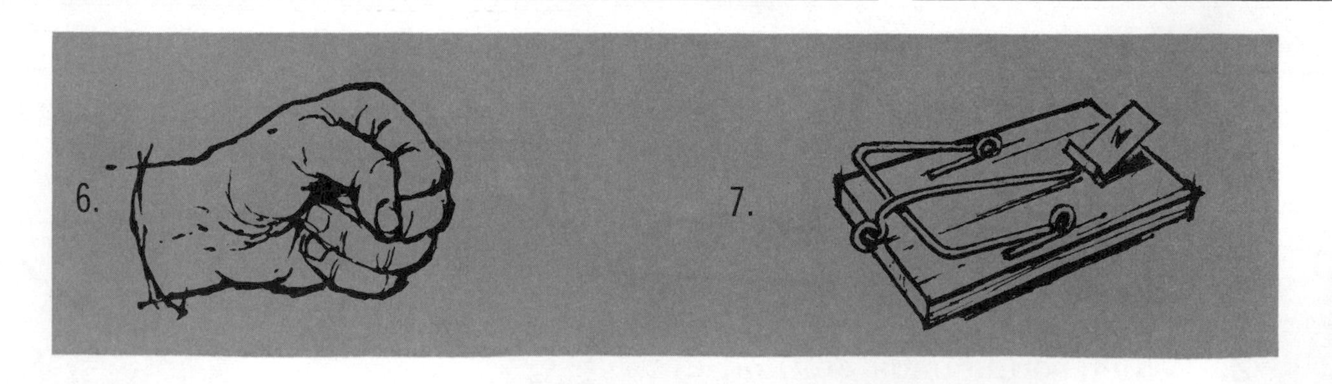

This is a man's ___.

This is a mouse ___.

E * TEST * Turn to page 132.

UNIT 11 HEAR AND SPELL

A

Cover your words. Say the picture words. Hear each sound. Write the words. Write a letter for each sound you hear. Now see if you are right.

1.________ 2.________ 3.________

4.________ 5.________ 6.________

bat
bed
lips
mop
sun

B

1. Say **sled.** How many sounds do you hear in **sled?** ________
2. How many letters are there in **sled?** ________

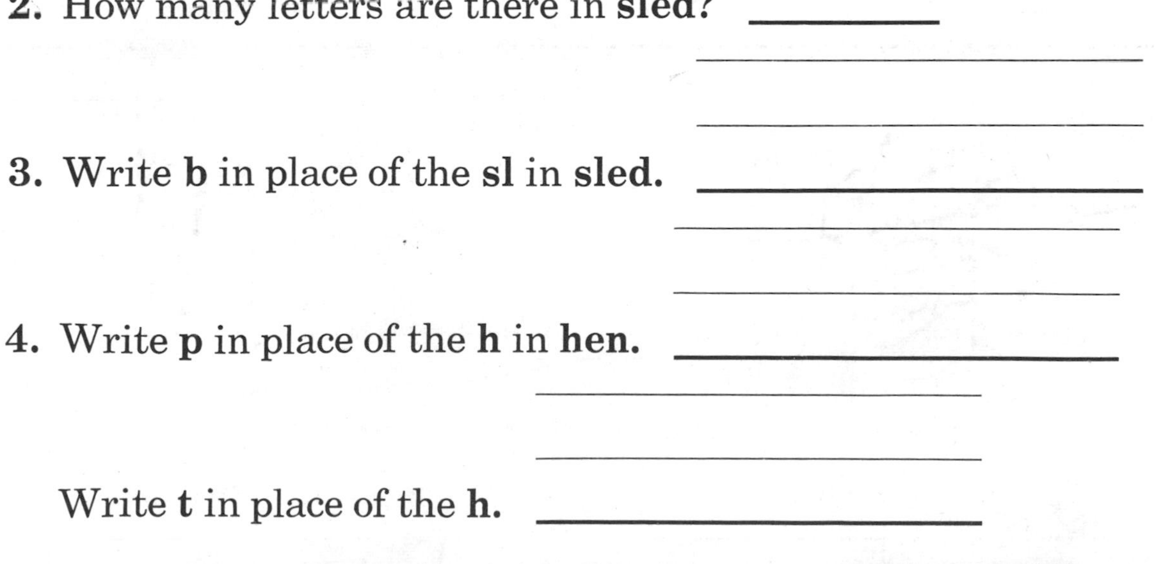

3. Write **b** in place of the **sl** in **sled.** ________
4. Write **p** in place of the **h** in **hen.** ________

   Write **t** in place of the **h.** ________

C

1. Write . ________ Write . ________

sled men hen pig rat top

2. Make a new word. Write **b** in place of **p** in **pig.** ______

Write **d** in place of the **p** in **pig.** ______

3. Write . ______ Write . ______

4. Write each spelling word next to its starting letter.

a b c d e f g h ______ i j k l m ______ n o

p ______ q r ______ s ______ t ______

u v w x y z

D

1. Write . ______ Write 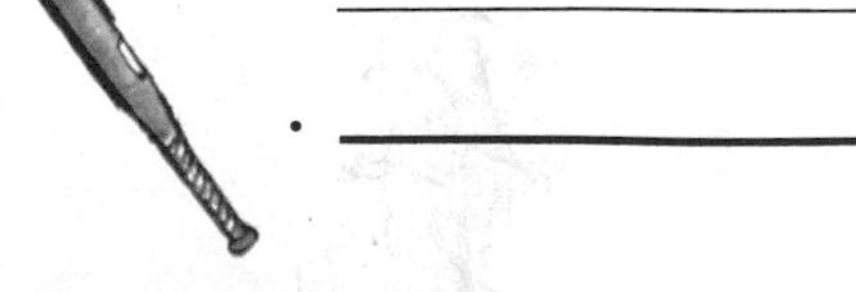 . ______

2. Write . ______

3. Write **f** in place of **r** in **rat.** Write **s** in place of **r** in **rat.**

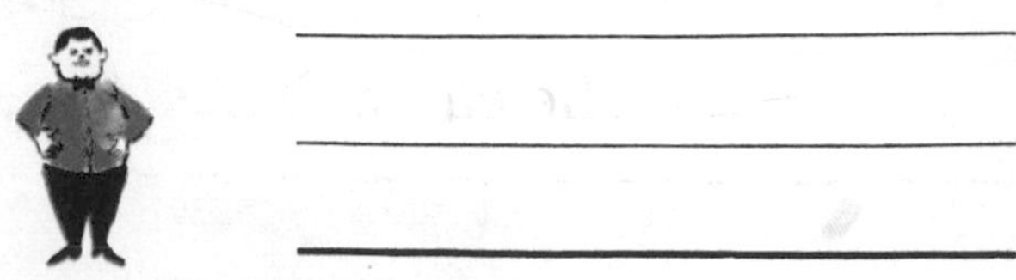

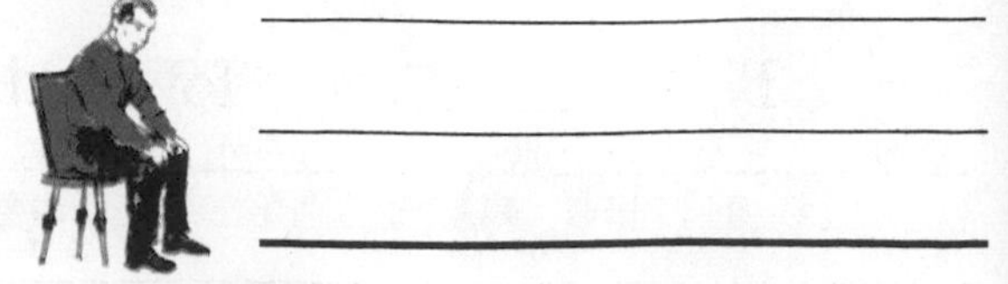

4. Write the spelling word that rhymes with 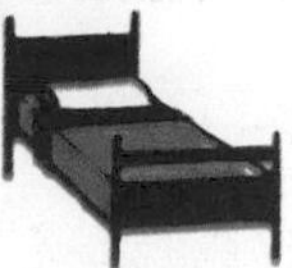 . ______

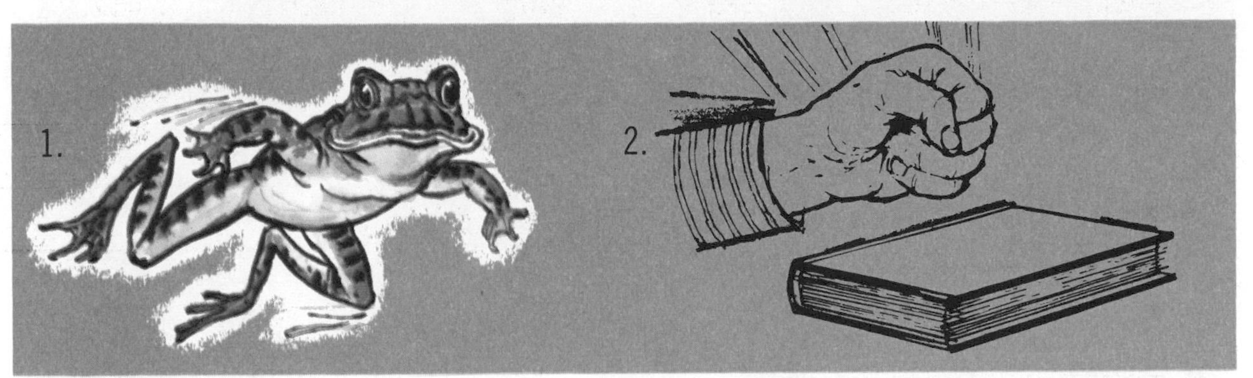

1. This green ___ can ___.

2. The ___ will ___ the book.

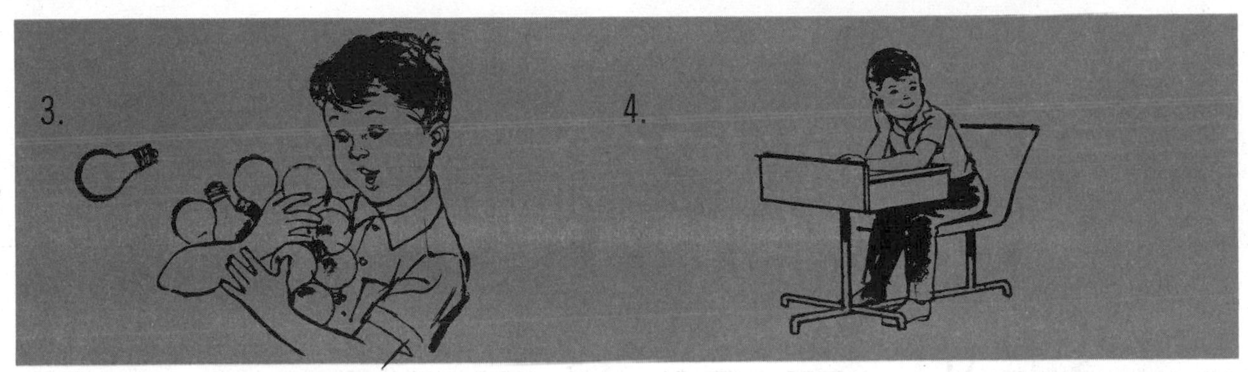

3. He will ___ a ___.

4. He ___ at his ___.

5. This ___ can ___ for food.

6. The car will ___ the ___.

E * TEST * Turn to page 132.

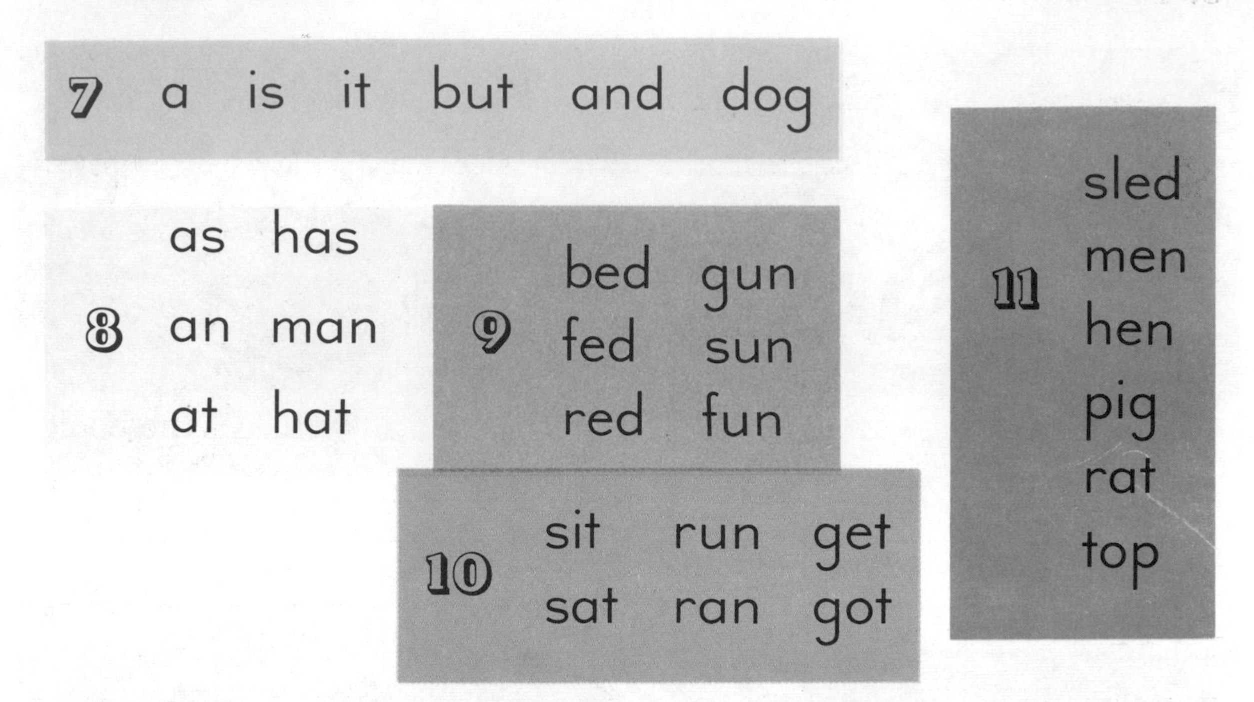

7 a is it but and dog
8 as has
an man
at hat
9 bed gun
fed sun
red fun
10 sit run get
sat ran got
11 sled
men
hen
pig
rat
top

A

1. Write the two words from Unit 8 which start like  .

2. Write four words from Units 7 and 8 which end like  .

3. Write the five words which have only two sounds.

4. Write  and two words from Unit 9 that rhyme with it.

5. Write  and two words from Unit 9 that rhyme with it.

6. Fill the spaces with words from Unit 9.

The ____________ hen ____________ her chicks.

The ____________ made Pal hot.

The dog is on the ____________.

B

1. Find the right words in the Unit 10 list to fill the spaces.

Today I ____________. Yesterday I ____________.

Today I ____________. Yesterday I ____________.

Today I ____________. Yesterday I ____________.

2. These are the **a-b-c**'s. Learn to say them.

a b c d e f g h i j k l m n o p q r s t u v w x y z

3. Sometimes we write words the way the **a-b-c**'s come. Words which start with **a** come first, **b** words come second, and **c** words come next.

4. Which word comes first, **an** or **but?** Draw a ring around the one. Which comes first, **hen** or **men?** Draw a ring around the one. Write **an, but, hen,** and **men** the way the **a-b-c**'s come.

____________ ____________ ____________ ____________

5. Write [sled], [pig], and [top] the way the **a-b-c**'s come.

6. Write all the spelling words you find in this picture.

C * HEAR AND SPELL

Write the missing words.

1. The wind blows. The shines.

2. The chases the .

3. The lost his .

4. The and the run.

5. The is .

6. The there yesterday.

D * HEAR AND SPELL

The pictures tell a story. Write the story. Use as many spelling words as you can.

E * TEST * Turn to page 141.

UNIT 13 MAKING LETTERS SAY THEIR NAMES

go	be
no	he
so	me

A

1. Say these picture words: 
   Can you hear the vowels in each word?

   Write the vowels. ______ ______ ______ ______ ______
2. When do **e** and **o** say their names? Try to make a rule to tell why **e** and **o** say their names in words like **be** and **go.**
3. Write the starting letter of each picture word.

     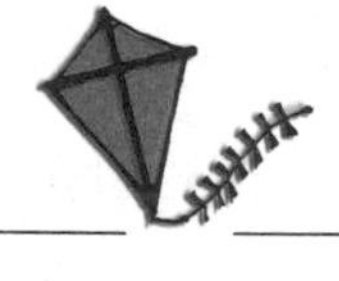 

B

1. Write **be, he,** and **me.** ______ ______ ______
   Say the words.
2. Make another word by writing **d** after **be.** ______
   Does **e** say its own name in this word? ______

3. Write **n** after **he** and **t** after **me.** Say the words you have made. ________ ________

Does **e** say its own name in these words?

C

1. Write **go, no,** and **so.** Say the words. Listen to the sounds.

2. Make another word by writing **t** after **go.** ________
Does **o** say its name now?

3. Write **t** after **no.** What word have you made? ________

D

Write the words.

1. We will ________ at home soon.
2. I know ________ will help us.
3. Give ________ the ball.
4. I ________ to school.
5. There is ________ school today.
6. I am ________ glad to see you.

∗ MORE TO DO ∗

Write the story the pictures tell. Can you use **be, he, me, go, no,** and **so** in the story?

E ∗ TEST ∗ Turn to page 133.

MAKING LETTERS SAY THEIR NAMES

meat rain
boat dear mail
read

A

1. How many vowels are there in each word?
   Draw rings around the vowels.

2. Say **meat.** Which vowel do you not hear?
   Does **e** say its name?

3. Write **meat** and **boat.**

4. Make a new word by
   writing **g** in place of the **b** in **boat.**

B

1. Say **rain.** Write **rain** twice. Cross out the vowel you do not hear. Draw a ring around the vowel that says its name.

2. Write **mail** twice. Draw a ring around the vowel you hear.

3. Write **rain** and **mail.**

C

1. Draw rings around the vowels in **dear,** in **read,** and in **meat.**

2. Cross out the vowel you do not hear in **dear,** in **read,** and in **meat.** Draw a ring around each vowel that says its name.

3. Write **dear, read,** and **meat.**

4. Add letters to the blanks to make words.

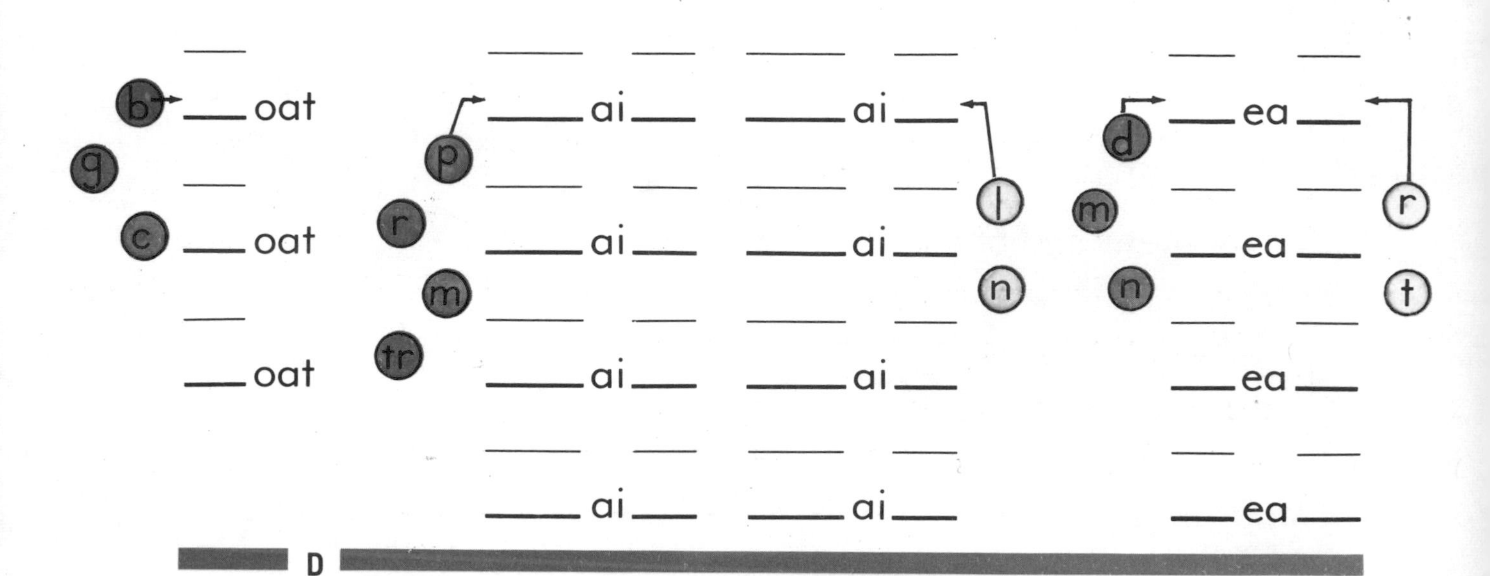

___oat

___oat

___oat

___ai___ ___ai___

___ai___ ___ai___

___ai___ ___ai___

___ai___ ___ai___

___ea___

___ea___

___ea___

___ea___

D

1. Write **met** and **meat.** Write **ran** and **rain.**

2. Write the words.

We sail in our ________________.

Our dog eats ________________.

It looks like ________________.

The mailman brought the ________________.

* MORE TO DO *

Read the sentences. Spell the picture words.

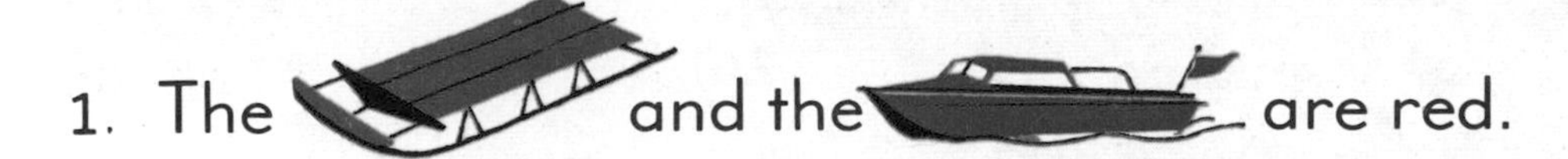

1. The ______ and the ______ are red.

2. The postman brings the ______ in the ______.

3. The man fed ______ to the ______.

4. The ______ has a ______.

5. The man put his ______ on the ______.

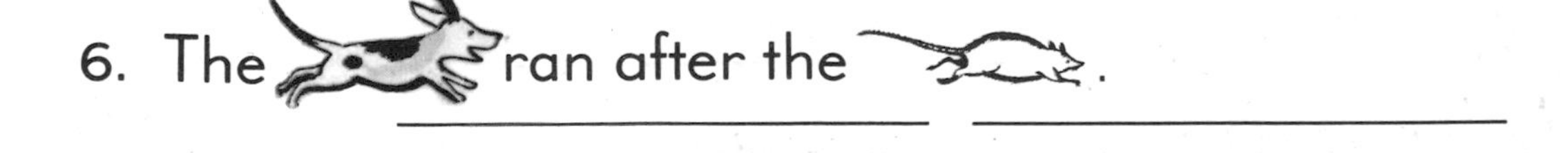

6. The ______ ran after the ______.

7. The ______ sit in the ______.

E * TEST * Turn to page 133.

tree
green
sleep
keep
feed
see

The robins made their nest in a green tree. The mother likes to feed the baby birds. The father likes to keep watch. He will not sleep when a cat is near. He will see the cat and fight.

A

1. Read the story. Find the new spelling words in the story. Draw a line under each one as you say it.
2. How many vowels are in each word? __________ How many can you hear? __________ Does **e** say its name?
3. Write each spelling word.

______________ ______________ ______________
______________ ______________ ______________
______________ ______________ ______________
______________ ______________ ______________
______________ ______________ ______________

B

1. Write the words that start like these: a. b. c.

______________ ______________ ______________
______________ ______________ ______________

a.______________ b.______________ c.______________

2. Write the words that start like these: a. b. c.

______________ ______________ ______________
______________ ______________ ______________

a.______________ b.______________ c.______________

C * BUILDING NEW WORDS

1. Write **n** in place of the **f** in **feed.** Write **s** in place of the
   f in **feed.**
2. Write **p** in place of the **sl** in **sleep.** Write **d** in place of the
   sl in **sleep.**
3. Write **s** in place of the **gr** in **green.** Write **e** in place of the
   ee in **feed.**
4. Say the new words softly. Write **need, deep,** and **seen** again.

D

Read the story again. Write the missing words.

The robins made their nest in a ________.

The mother likes to ________ the birds.

The father likes to ________ watch.

When a cat is near, the father will not ________.

He will ________ the cat and fight him.

* MORE TO DO *

Write the story the pictures tell. Use your spelling words **tree, green, sleep, keep, feed,** and **see.**

E * TEST * Turn to page 133.

home like
name here
time hope

A

1. Which letter is the same in all the words? ______

2. Can you hear the **e** at the end of each word? ______
3. Draw a ring around the vowels that say their names.
4. Make a spelling rule for words like **home, name, time, like, here,** and **hope.**

B

1. Say **home.** How many sounds? ____ How many letters? ____
2. Say **name.** How many sounds? ____ How many letters? ____
3. Write **home** and **name.**

4. Say **time** and **like.** Which vowel do you not hear? ______ Which vowel do you hear? ______
5. Why does **i** say its name? Write **time** and **like.**

home name time like here hope

C

1. Say **here** and **hope.** How many sounds in each word? ______

How many letters in each word? ________

2. Write **here** and **hope.** ________ ________

3. Write all the spelling words again.

4. Draw a ring around the vowel you can hear in these words.

bake came fine five kite side joke bone cone

D

Write.

1. We must get to school on ________.

2. After school we go ________.

3. The boy's ________ is Jack.

4. We ________ to play ball.

5. "Come ________, Pal," said Jack.

6. I ________ you will come.

* MORE TO DO *

This is a crossword puzzle. Your teacher will show you how to work a crossword puzzle. All the words in your spelling lesson are in it. There are other words in it that you can spell.

		1.		2.			3.		
	4.						5.	6.	
					7.				
		8.							
9.								10.	11.
		12.	13.	14.					
		15.					16.		
17.						18.			
19.									

ACROSS

2. It falls from the sky.
4. Change the **n** in **no** to **s.**
5. Change the **t** in **at** to **m.**
7. Where you live.
8. A clock tells ____.
9. Take an **e** off **bee.**
10. Take the **h** off **hit.**
12. Same as.
15. It sounds like **8.**
18. Wish.
19. What you do at night.

DOWN

1. You sail it on the water.
3. It's what they call you by.
6. I.
7. Add an **e** to **her.**
11. Apples grow on it.
12. Put **l** before **ate.**
13. Same as 10 across.
14. Do not give away.
16. Take the **t** off **got.**
17. Take the **h** off **his.**
18. Him.

E * TEST * Turn to page 133.

UNIT 17 MORE "DOING" WORDS

eat	make	ride
ate	made	rode

Yesterday I rode.

Today I ride.

A

Fill the spaces with the new spelling words. The pictures will help you find the right words.

Today I ______________.

Yesterday I ______________.

Today I ______________.

Yesterday I ______________.

Today I ______________.

Yesterday I ______________.

B

1. Say **eat** and **ate.** How many sounds are in each word? ________
   How many letters are in each word? ________

2. Which vowel can you not hear in **eat?** ________ In **ate?** ________
   Which vowel in **eat** says its name? ________ In **ate?** ________

3. Fill the spaces with **eat** or **ate.**

Today I ________ lunch. Yesterday I ________ lunch.

C

1. Draw a ring around each word in the list which ends with silent **e.**
2. How many sounds in **make?** ____ How many letters? ____

   Which vowel do you hear in **make?** ____ In **made?** ____
3. Fill the spaces with **make** or **made.**

Mother lets me ________ candy. I ________ it last week.

D

1. Say **ride** and **rode.** Why do you hear only three sounds in each word?
2. Which vowel do you hear in **ride?** ____ In **rode?** ____
3. Fill the spaces with **ride** or **rode.**

I like to ________ on a train. I ________ one once.

4. Your new word **ate** can help you spell more words. Add letters at the beginning of **ate.** Try **g, l, pl,** and **sk.**

____ate ____ate ____ate ____ate

5. Make new words from **make.** Write **b, c, l,** and **w** in place of the **m** in **make.**

____ake ____ake ____ake ____ake

* MORE TO DO *

1. Use your spelling words to finish the answers.

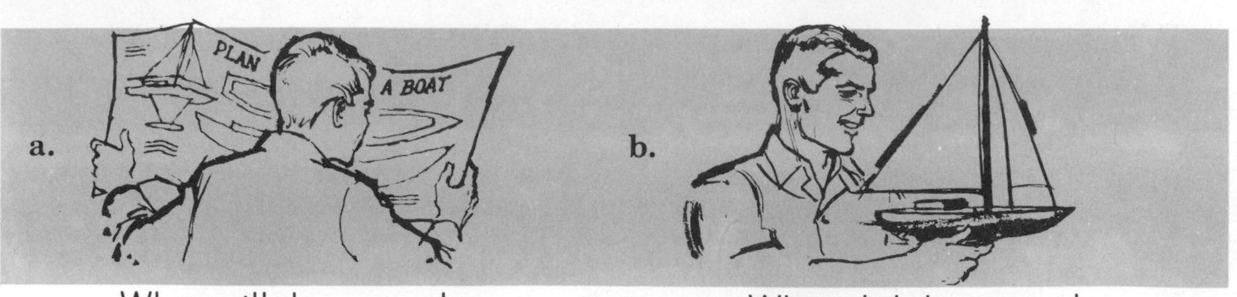

a. What will the man do?

He will ______ a boat.

b. What did the man do?

He ______ a boat.

c. What will the man do?

The man will ______.

d. What did the man do?

The man ______.

2. Change **m** to **f** and **w** in **made.** ______ ______

3. Add **b** and **m** to **eat.** ______ ______

4. Add **h** and **l** to **ate.** ______ ______

5. Change **m** to **b** and **c** in **make.** ______ ______

6. Change **r** to **h** and **s** in **ride.** ______ ______

E * TEST * Turn to page 133.

UNIT 18 REVIEW

A * SOUND TEST

Write the letter that starts each of these picture words.

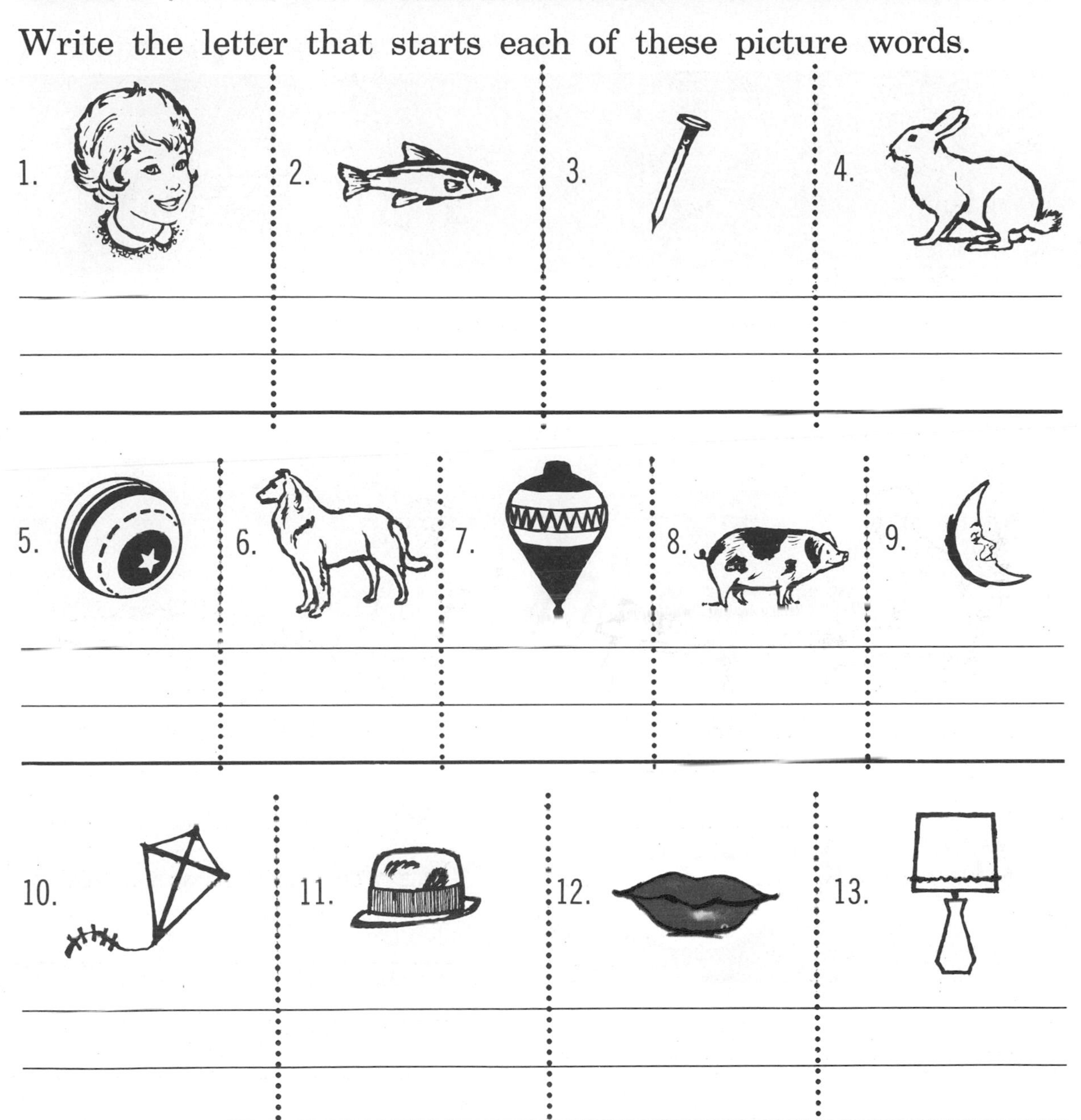

Write the letter for the vowel sound you hear in each of these picture words.

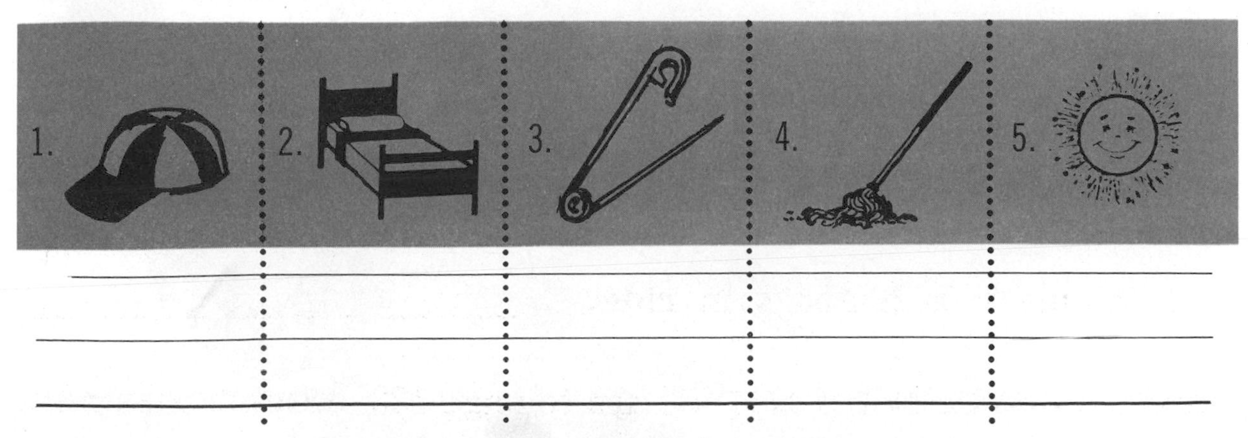

B * POWER TEST

Write the picture words. Some letters are given to help you.

1. 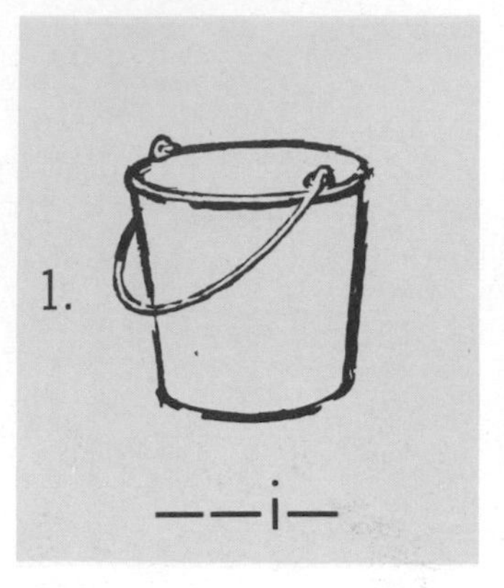

— — i —

2. 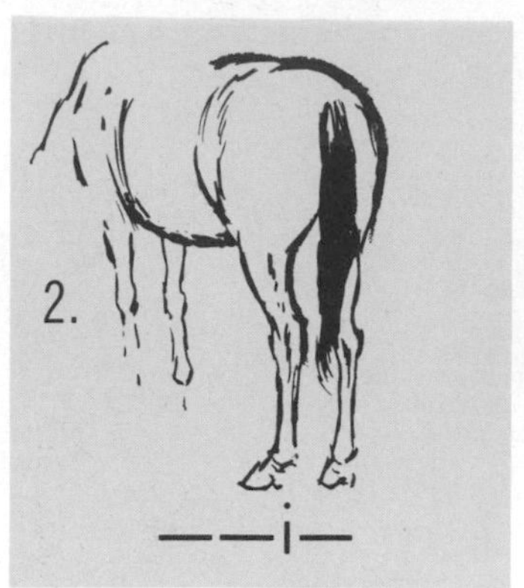

— — i —

3. 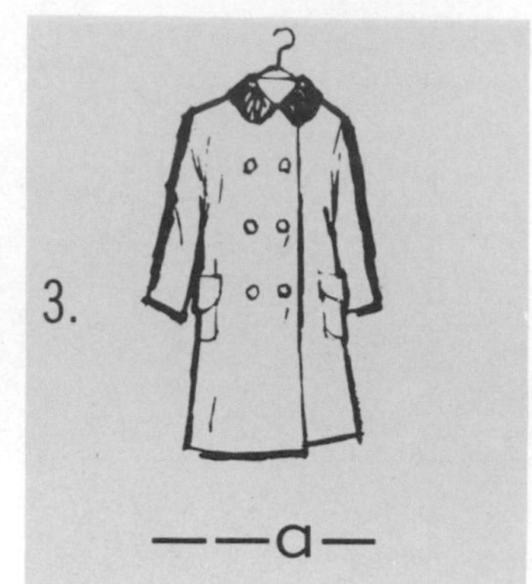

— — a —

4. 

— — a —

5. 

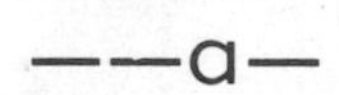

— — a —

6. 

— — a —

7. 

— — — e

8. 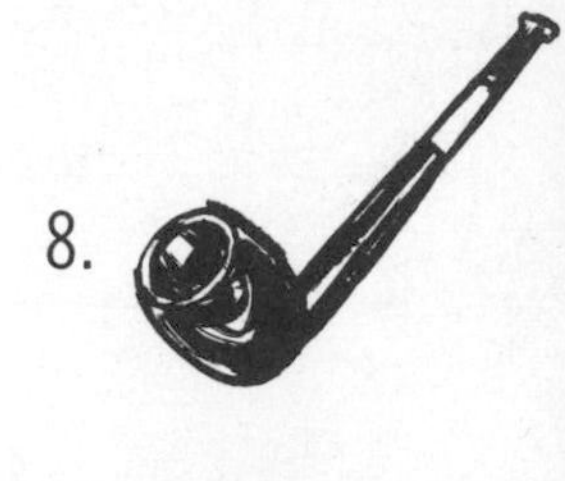

— — — e

9. 

— — — e

10. 

— — — — e

11. 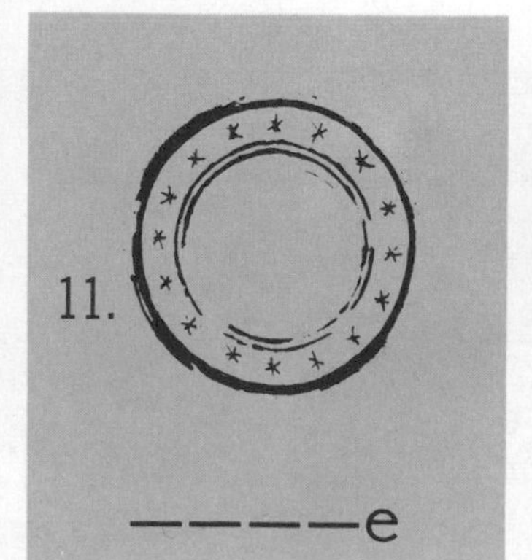

— — — — e

12. 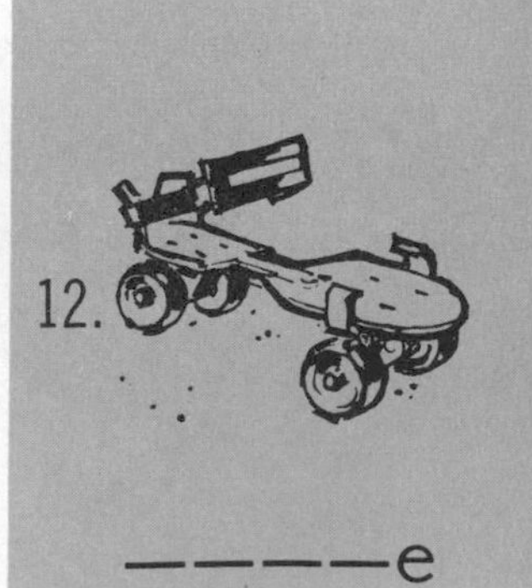

— — — — e

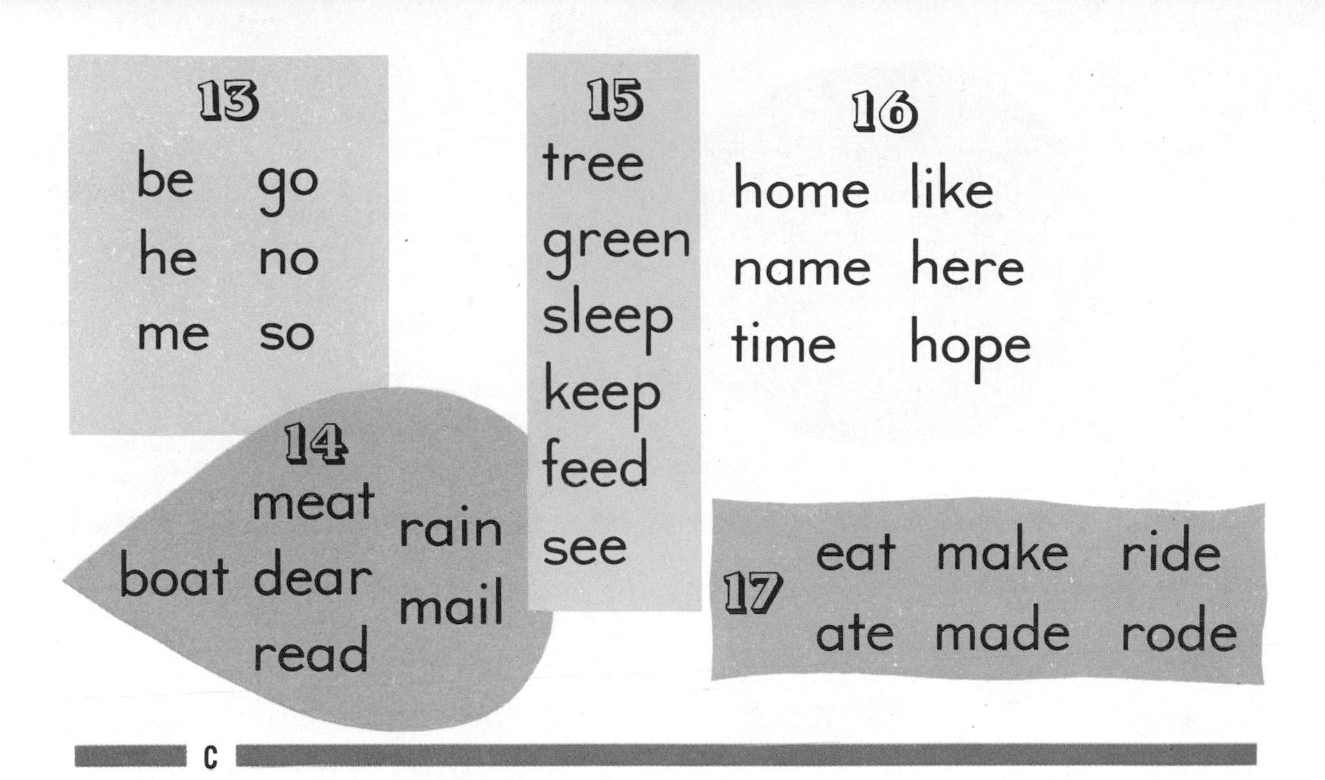

13
be go
he no
me so
14
meat
boat dear
read
rain
mail
15
tree
green
sleep
keep
feed
see
16
home like
name here
time hope
17
eat make ride
ate made rode

C

1. Can you say the **a-b-c**'s? Learn them.

a b c d e f g h i j k l m n o p
q r s t u v w x y z

2. We often write words the way the **a-b-c**'s come. A word which starts with **a** comes first. The **b** words come second. The **c** words come third. If there are no **a** words, start with **b** words.

____

____

Which word comes first in the Unit 13 list? ____________

3. There are no **c, d, e,** or **f** words. Which word comes second?

____

____________ ____________

____________ ____________

4. Which word comes next, **he** or **me?** ____________

____________ ____________

____________ ____________

5. Which comes after **me?** ____________ Which is last? ____________

6. Read the Unit 14 words. Cross out each vowel you cannot hear. Draw a ring around each vowel which says its name.

UNIT 13		UNIT 14		UNIT 15		UNIT 16		UNIT 17	
be	go	boat	read	tree	keep	home	like	eat	ate
he	no	meat	rain	green	feed	name	here	make	made
me	so	dear	mail	sleep	see	time	hope	ride	rode

7. Which word in Unit 14 will come first if we write them the way the **a-b-c**'s come? ____________ Which is next? ____________

D

1. Read the Unit 15 words. How many vowels are there in each word? __________ How many do you hear? __________

2. Read the Unit 16 words. Cross out the vowel which you do not hear in each word. Why do the other vowels say their names?

3. Write the two words from the Unit 17 spelling list which start like [rabbit picture]. ____________ ____________

4. Write the two words from the Unit 17 spelling list which start like [moon picture]. ____________ ____________

5. Write **rode, eat,** and **ate** the way the **a-b-c**'s come.

____________ ____________ ____________

6. Write the spelling words which name these pictures.

a. ____________ b. ____________ c. ____________ d. ____________

E * TEST * Turn to page 141.

UNIT 19 EASY WORDS TO SPELL

up am
us him
in lot
if not
if
up
him
lot

A

1. The words in the spelling list are easy to spell. Can you tell why?
2. Write the two words which have the vowel sound you hear

in .

3. Write **lot, if, am, us,** and **not** the way the **a-b-c**'s come.

B

1. Write the three words which have the vowel sound you hear in .
2. Which word has the vowel sound you hear in ?
3. Which word ends with the sound that starts ?
4. Which two words rhyme with ?

up us in if am him not lot

C

1. Which word ends with the sound that starts ?

2. Write two words which end with the sound that starts .

3. Write two words which end with the sound that starts .

4. Some words are opposites in meaning.

yes ↔ no   down   up

Find opposite words for the words below.

out ↔ ___   her ↔ ___

D * BUILDING WORDS

1. Write **c** before **up.** Write **p** before **up.** Say the new words.

2. Write **b** before **us.** What is the new word?

3. Write **p** before **in.** Write **t** before **in.** Say the new words.

4. Write **h** before **am.** Write **p** in place of the **l** in **lot.** Say the new words.

Write the words you can make with these letters.

1. 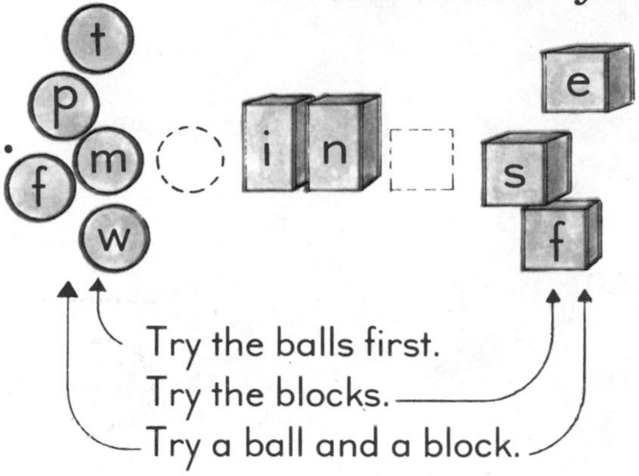 t p m f w ◯ i n ⬚ e s f

Try the balls first.
Try the blocks.
Try a ball and a block.

1.

2. d b m ◯ u s ⬚ e t b

2.

3. 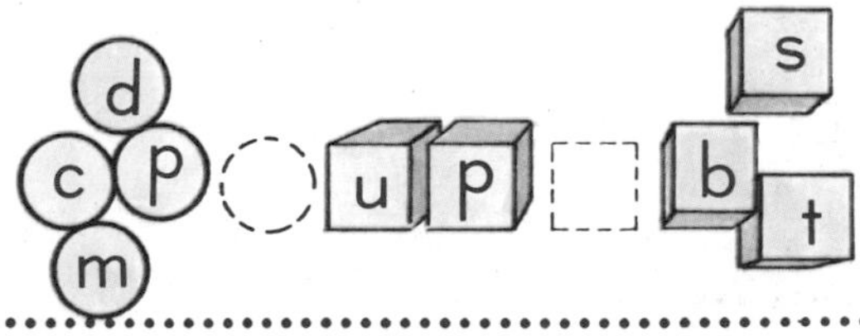 d c p m ◯ u p ⬚ s b t

3.

4. l w ◯ i f ⬚ m t e

4.

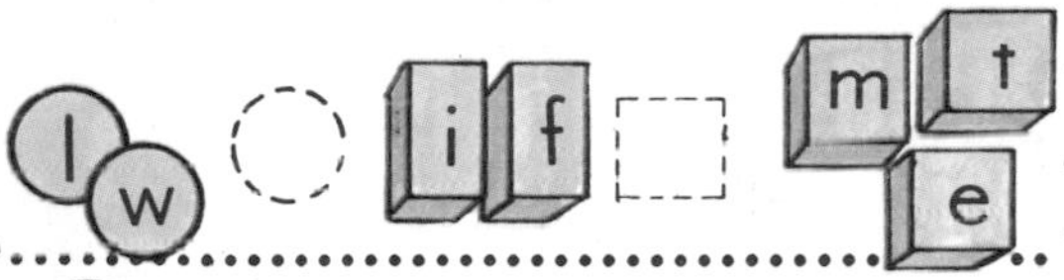

5.  c n s ◯ a m ⬚ e k

5.

6.  h d t ◯ i m ⬚ e v

6.

7. n h d l p g ◯ o t ⬚ m e s

7.

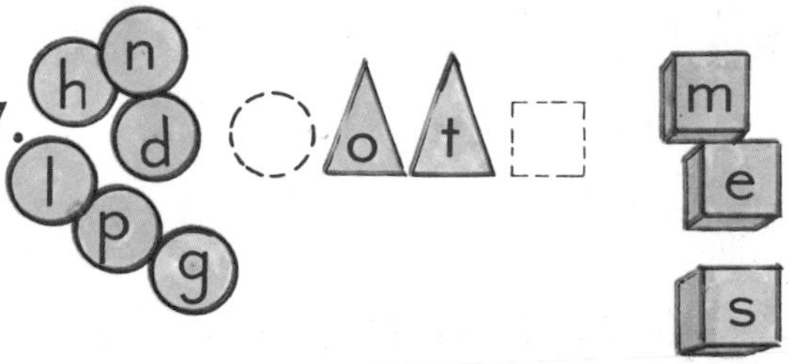

E * TEST * Turn to page 134.

cow	brown
how	our
now	out
down	house

COW OUT

A

1. Say the spelling words. Listen for each **ou** sound.

2. We can spell the **ou** sound like this ______ or like this ______.

3. Write.

We get milk from a ______.

Tell me ______ to do it.

We are not ready to go ______.

Do not fall ______ the hill.

In the fall the leaves turn ______.

4. **Cow** starts with the same sound as [kite].

Which two letters can make the **k** sound? ___ and ___.

B

1. How many sounds in **our?** ___ How many letters? ___

Write **our** and **out.** ______ ______

2. How many sounds in **house?** ____ How many letters? ____

Which letter is silent? ____ Write **house.** ____

3. Build a new word by writing **m** in place of the **h** in **house.** ____

Say the new word. ____

C

1. Write.

Come to ____ house. Do not go ____ of the room.

We live in a new ____.

2. Write **cl** in place of **br** in **brown.** Write **d** in place of **b.**

D

1. Write **s** after **cow.** ____ What is the new word?

We can make more than one by writing ____ after a word.

2. Write the words.

3. Write the names for the pictures. The first one is given.

a. b. c. d. e. f. g. h.

a. hats b. ____ c. ____ d. ____

e. ____ f. ____ g. ____ h. ____

Work the add-a-letter puzzle. Add the words. Each new letter goes on a colored square.

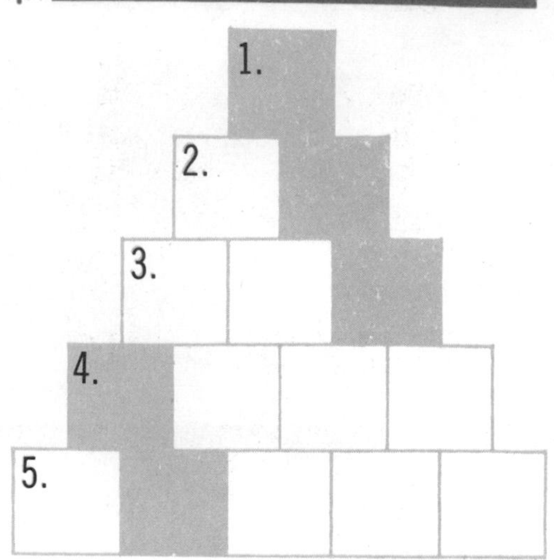

1. The 15th letter in the alphabet.
2. Something you say when you are hurt.
3. 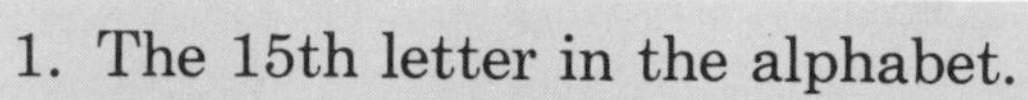 − **c** + **n.**
4. Not up.
5. To sink under water.

What is the boy saying? Fill in the words from your unit spelling list.

N______ h______ did o______
b______ c______ get o______
of the barn behind o______ h______
and d______ that hill?

E * TEST * Turn to page 134.

UNIT 21 WRITE IT RIGHT

A

1. We write, "Go **to** school." We write, "I have **two** books." **Two** means **2.**
2. Write **to** or **two.**

Father goes ____________ work. One and one are ____________.

B

1. We say, "He and I will go." We write **I,** not **i.** Write **I** in the spaces.

He and ______ will go. He and ______ came.

2. Write **two, are, done,** and **saw** the way the **a-b-c**'s come.

____________ ____________ ____________ ____________

C

1. What letter begins **did** and **done?** ______ Which word begins and ends with the same letter? Write the word below.

He ____________ his work well. They ____________ not want to go.

Done is used with a helper word. Write **done** below.

She has ____________ the dishes. The boys have ____________ it.

2. In the sentences you have just written, **has** and **have** are helper words. Write **have** in these sentences.

We ____________ seen her. They ____________ the ball.

3. These words sound the same but are not spelled the same.

to two

These pairs of words are spelled the same but do not mean the same thing. Write the words. Watch for more words like these.

____________ ____________

D

Write the words.

1. Today I do the work. Yesterday I ____________ (did, done) it.

   Now the work is ____________ (did, done).

2. I went ____________ (to, two) the store. I got ____________ (to, two) books.

3. I see the boat. Yesterday I ____________ (saw, seen) the boat.

4. I ____________ (has, have) seen the boy.

5. Who is at the door? It is ____________ (I, me).

6. We ____________ (is, are) here to work.

MORE TO DO

Choose the right word when two are given. Write it. Write the picture words, too.

1. We went (two, to) get the  .

2. We saw (two, to) green  .

3. The  did the work.

4. The men have (did, done) the work.

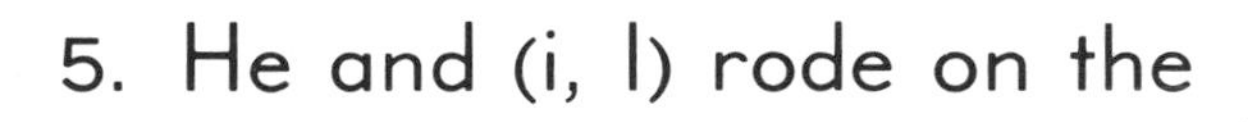
5. He and (i, I) rode on the  .

6. Father let (me, I) go in the  .

7. The [picture] is coming on the  .

8. The mail train (is, are) late.

9. He and I have seen the lost  .

10. He and I (saw, seen) the [picture] run.

E * TEST * Turn to page 134.

UNIT 22 OO WORDS

too
room
soon
school
book
took
look
good

Our teacher took our room to the school library. I like to look for a good book. The big boys and girls read two books every month. Soon I will be able to read all the books, too.

A

Find your spelling words in the story. Draw lines under them.

B

1. The **oo** spells two different vowel sounds. Say **too.** Say **book.** The **oo** spells a long sound in **too.** The **oo** spells a shorter sound in **book.** Write three spelling words which have the same **oo** sound as in **too.**

2. The **ch** in **school** has a **k** sound. Write **school** twice.

C

1. Write the four words with the **oo** sound in **book.**

2. Write **s** after **room, school, book, look.**

___ ___ ___ ___

3. Fill each space with one of the spelling words.

I have a new ______. It is a ______ book.

I like to ______ at it. Once I ______ it to bed.

D

1. You now have three words which sound the same. They are **to, two,** and **too. Two** means **2. Too** means **also.**

2. Write the words from the story.

Our teacher ______ our ______

______ the ______ library.

I like ______ ______ for a ______

______. The big boys and girls read ______

______ every month. ______ I will be

able ______ read all the ______, ______.

3. Listen to the **oo** sounds in these words. Draw a ring around each **oo** that makes the sound of **oo** as in **room.**

food noon moon spoon cool spool
cook hook shook foot

* MORE TO DO *

You will use all of the words in your spelling list and a few others in this crossword puzzle. Your teacher will show you how to work it.

ACROSS

1. Part of a house.
2. Also.
3. Where you learn to spell.
5. Yesterday I went. Today I ____.
6. You have one on your desk.
7. It sounds like **too.**
8. Upon.
9. Same as 4 down.

DOWN

1. Walk fast.
2. Today I take. Yesterday I ____.
3. Not very long from now.
4. See!
5. Not bad.
7. Also.

E * TEST * Turn to page 135.

UNIT 23 k OR c?

A

1. Read all the new words. Which two letters are used to make the k sound? ______ ______

2. How many sounds are in **kept?** ______ What letters make the last two sounds? ______ ______ How many sounds do you hear in **milk?** ______

3. Which letter do you not hear in **take?** ______ Write **kept, milk,** and **take.** ______ ______ ______

4. Say **kitten.** Do you hear two parts in this word? Write **kitten** twice. Draw a line after the first **t.**

______ ______

B

1. We add **s** and **ed** to some doing words. We say, "Today I look." "He looks now." "Yesterday I looked." Read the story. Draw a line under the **s** and **ed** endings on **milk.**

   Father went to the barn to **milk** the cow. He **milks** her every day. I **milked** our cow yesterday.

kept kitten milk take came can cat come

2. We say, "Today I come." "Today she comes." "Yesterday she and I came." Write **come, comes,** and **came** in the blanks.

I will ________ to your house.

Yesterday we ________ home in our new car.

Jane ________ to see me every Monday.

C

1. Finish the words.

C______s and k______s like m______.

Jack c______ run fast.

Mother k______ the house clean.

2. These words have a **k** sound that is spelled with a **c.** Write the picture words.

a.  ________ b.  ________ c. ________

D

1. Write the picture words.

a.  ________ b.  ________ c. ________

2. Write a spelling word that rhymes with **make.** ________

3. Write a spelling word that rhymes with **man.** ________

MORE TO DO

Write the story the pictures tell. Try to use the spelling words **cat, kitten, milk, kept, take, came, can,** and **come.**

1.

2.

3.

4.

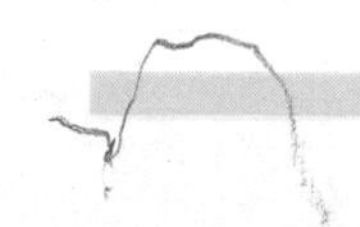

E * TEST * Turn to page 135.

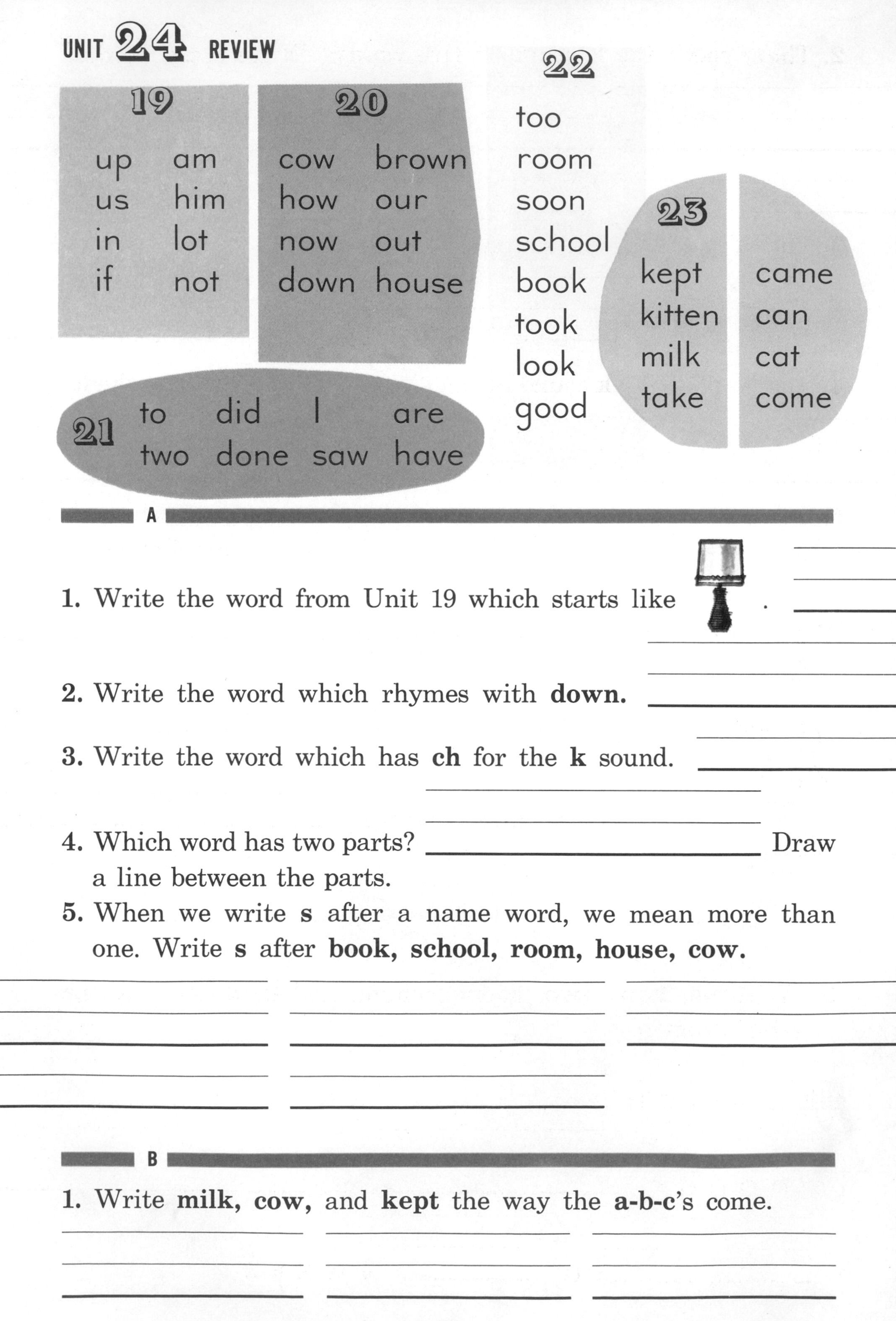

UNIT 24 REVIEW

19

up am
us him
in lot
if not

20

cow brown
how our
now out
down house

21

to did I are
two done saw have

22

too
room
soon
school
book
took
look
good

23

kept came
kitten can
milk cat
take come

A

1. Write the word from Unit 19 which starts like [picture of a lamp]. ______

2. Write the word which rhymes with **down.** ______

3. Write the word which has **ch** for the **k** sound. ______

4. Which word has two parts? ______ Draw a line between the parts.

5. When we write **s** after a name word, we mean more than one. Write **s** after **book, school, room, house, cow.**

______ ______ ______
______ ______

B

1. Write **milk, cow,** and **kept** the way the **a-b-c**'s come.

______ ______ ______

2. The **c** spells the **k** sound in five words. Write these words.

3. The **k** spells the **k** sound at the beginning of two words.

Write them.

4. The **k** spells the **k** sound at the end of four words. Write them.

5. These sentences use the wrong words. Put an X on each word that is wrong. Write the right words beside their sentences.

XX We went too the store to buy to pies.

X Mother went, two.

XX i seen the book you lost.

X We done our work yesterday.

6. Write **us, how, two, room, school,** and **kept** the way the **a-b-c**'s come.

a b c d e f g h

i j k

l m n o p q r

s

t

u

v w x y z

C

Fill in the missing words or letters from your review list.

1. This ________ of ________ fell ________.

The ________ ran ________ of the can.

The ________ and the ________s

________ drinking the ________.

* *

2. The ________s are lying ________

in front of the ________.

* *

3. The boy is taking a ___oo___

___oo___ at the ___oo___.

* *

4. This ________ is full

of ________s.

You will use some of your review words in this crossword puzzle.

		1.		2.	3.	
4.	5.					
	6.			7.		
8.						
9.						
			10.			11.
		12.				
	13.		14.			
15.					16.	
	17.					

ACROSS

2.

4. 

6. 

9. Same as 3 down.

10.

13.

15. I hit. He ____.

16. without the **h.**

17. Today I keep.
Yesterday I ____.

DOWN

1. 2

3. I am. We ____.

5. What you say when you are surprised.

7. 

8. Today I come. Yesterday I ____.

11.

12. 

13. What cats and kittens like.

14. I am. He ____.

E * TEST * Turn to page 141.

UNIT 25 y AT THE END

any	*any*	party	*party*
very	*very*	story	*story*
many	*many*	daddy	*daddy*
baby	*baby*	happy	*happy*
candy	*candy*	pretty	*pretty*

A

Read the story. Draw a line under each new spelling word in the story.

I have a pretty baby sister. We had a party for her with cake and candy. Sometimes I read her a story. Then she is very happy. She likes any story. Our daddy brings us many story books.

B

1. We cut longer words into parts. Then we look at each part.

   an|y ver|y pret|ty dad|dy hap|py

2. Say all the new words. How many parts has each? ______

3. Which letter ends every word? ______

The **y** at the end is a vowel. It sounds like the **i** in .

4. Write the two-part words.

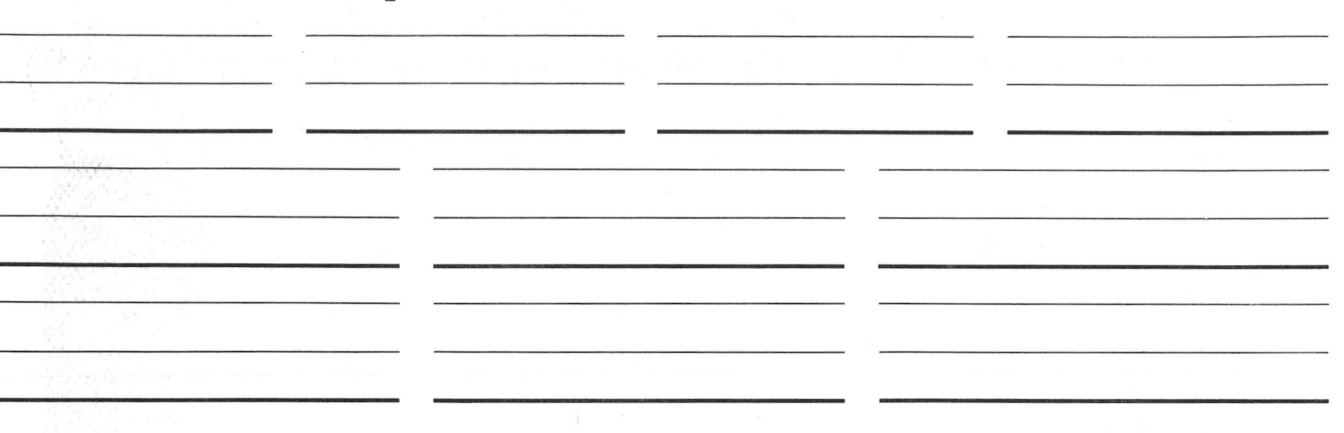

C

1. Say these words: **man y, ba by, sto ry, can dy,** and **par ty.**

2. Which letter ends every word? ______ What sound does it have? ______

3. Write the word that rhymes with **any.** ______

Fill in this add-a-letter puzzle.

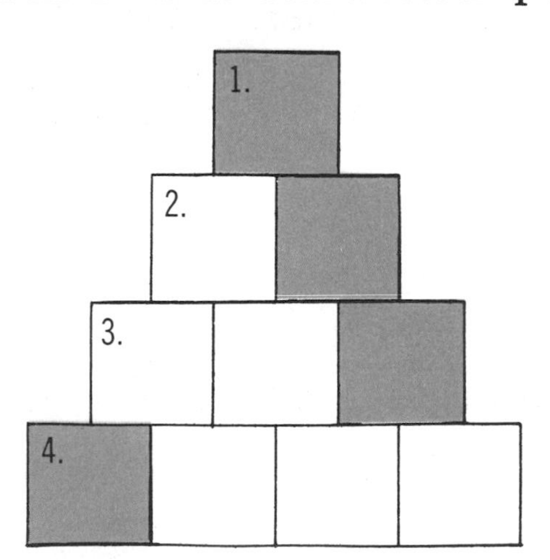

1. The first letter of the alphabet.
2. **man – m.**
3. **an + y.**
4. More than a few.

4. Write **daddy.** Write two more spelling words that have double letters. Draw rings around the double letters.

1. Write the word that starts like  . ______

2. Write the word that starts like  . ______

I have a pretty baby sister. We had a party for her with cake and candy. Sometimes I read her a story. Then she is very happy. She likes any story. Our daddy brings us many story books.

3. Write the words from the story. Do not look at the story until you have finished.

I have a ______ ______ sister.

We had a ______ for her with cake and ______.

Sometimes I read her a ______.

Then she is ______ ______.

She likes ______ ______.

Our ______ brings us ______

______ books.

✻ MORE TO DO ✻

Write the story the pictures tell. Use as many of these spelling words as you can: **any, very, many, baby, candy, party, story, daddy, happy, pretty.**

E ✻ TEST ✻ Turn to page 136.

UNIT 26 W AND wh

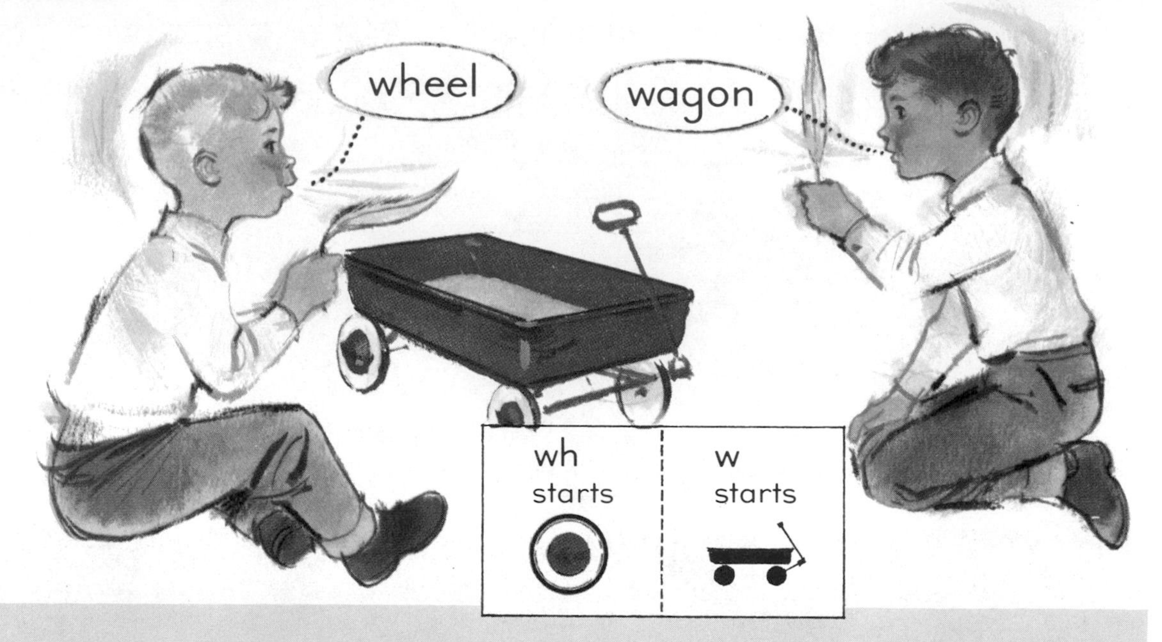

we	*we*	what	*what*
were	*were*	when	*when*
went	*went*	where	*where*
want	*want*	white	*white*
was	*was*	who	*who*

A

1. Which two letters begin each of the first three words? ______ ______

   Is the vowel sound the same for each **e**? ______________

2. Use **we, were,** and **went** in this sentence.

   ______ ____________ to the zoo when

   Mary and Bill ____________ visiting us.

3. The next two words in the list begin alike, too. What sounds do you hear at the end of **want?** _____ _____ What sound ends **was?** _____ What letter spells this ending sound? _____

B

1. The **wh** makes one sound. Say **wheel.** The **wh** sounds like the **h** sound and the **w** sound. Feel the air blow when you say **wheel.** Write each **wh** word in the list.

_____ _____ _____
_____ _____ _____
_____ _____

2. In one **wh** word, we do not hear the **wh** sound. The **wh** sounds like **h.** Can you find this word? Write it. _____

3. Listen to the **oo** sound in [broom].
Which vowel spells this sound in **who?** _____

C

1. Write the five words that start like [wagon].

_____ _____ _____
_____ _____ _____
_____ _____

2. Add the right words.

____________________ is in the box?

____________________ are you going?

____________________ will you come?

3. Draw lines under the words which start with the **wh** sound.

water   watch   wind

whip   wheat   why

wall   win   window

D * BUILDING NEW WORDS

1. Write **b, h,** and **m** in place of **w** in **we.** Say the new words.

2. Write **b** and **t** in place of **w** in **went.** Say the new words.

3. Write **p** in place of **wh** in **when.** Write **k** for **wh** in **white.**

* MORE TO DO *

You will use all of the words in your spelling list and a few others in this crossword puzzle. Your teacher will show you how to work it.

1.		2.			■	3.		4.
	■		■	■	5.	■	■	
6.			■	7.		8.		
	■	■	9.				■	
■	■	■	10.			■	■	■
■	■	11.		■	■	12.		
■	13.				■		■	■
■		■		■	■	14.		
15.			■	16.			■	■

ACROSS

1. Make **were** a **wh** word.
3. Add **h** to **ow.**
6. Add a **t** to **no.**
7. ____ as snow. It starts with **wh.**
9. Same as 5 down.
10. Not cold.
11. You and I.
12. Put **w** before **as.**
13. Take the **h** out of **where.**
14. Same as 6 across.
15. It sounds like **two.**
16. Same as 10 across.

DOWN

1. Change the vowel in **want.**
2. Take the **m** off **meat.**
4. Put a **w** in front of **hen.**
5. Put a **w** in front of **hat.**
7. It sounds like **hoo.**
8. Take the **h** off **hit.**
9. Put a **w** before **here.**
11. Same as 11 across.
12. Put **w** before **ant.**
13. Same as 7 down.

E * TEST * Turn to page 136.

fell	*fell*	doll	*doll*
tell	*tell*	all	*all*
well	*well*	ball	*ball*
will	*will*	dress	*dress*
hill	*hill*	off	*off*

A

1. How many **l**'s are in each of the first eight new words? ______

   How many **l** sounds do you hear in each word? ______

2. Write **all** and the word that rhymes with it.

   ______ ______

   Write the two words that rhyme with **ill.**

   ______ ______

   Write the three words that rhyme with  .

   ______ ______ ______

3. How many **s** sounds are in **dress?** ____

Keep ____ the grass!

4. Write the word the sign needs.

B

1. Write the words.

a.

b.

c.

2. You can write **tell,** so you can write ____.

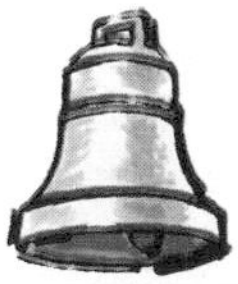

3. You can write **ball,** so you can write ____.

C

1. Finish the words to fill the spaces.

A boy and girl named Jack and Jill
Went for water up a h____.
And the story books do t____,
Down the hill the children f____.

fell	well	hill	all	dress
tell	will	doll	ball	off

I have a d________. Her name is Bess.

I w________ make her a new d________.

I hit the first b________. I can hit them a________.

2. Some words like **dress** end with **ss.** To make **ss** words mean more than one we write **es** after them.

Write **es** after **dress.** ____________

D * BUILDING WORDS

1. Write **s** in place of **t** in **tell.** ____________

2. Write **f** in place of **w** in **will.** ____________

3. Write **c** in place of **b** in **ball.** Write **t** in place of **f** in **fall.**

____________ ____________

MORE TO DO

Write the story the pictures tell. Use your spelling words **fell, tell, well, will, hill, doll, all, dress, off.**

E TEST Turn to page 137.

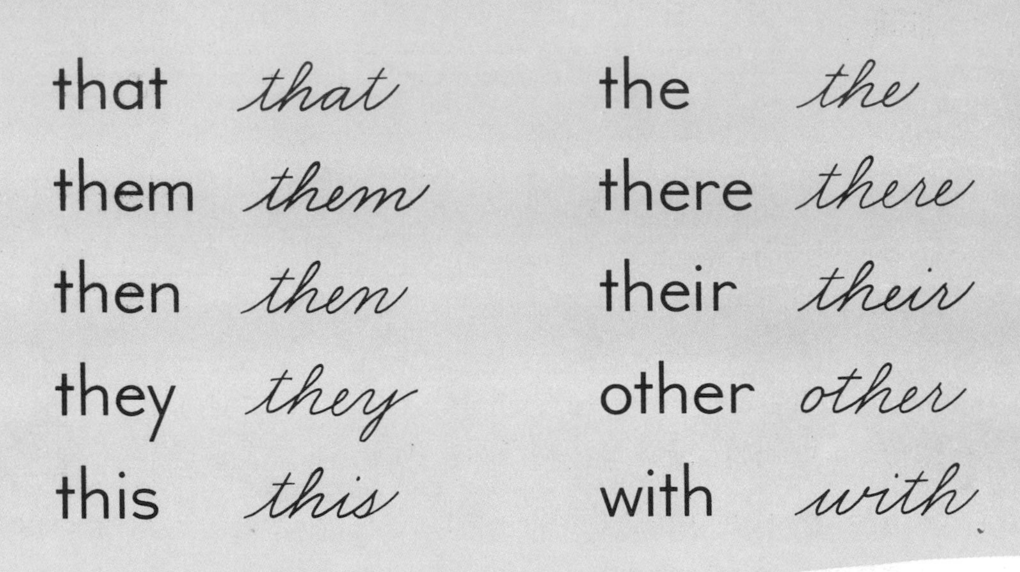

that that
them them
then then
they they
this this
the the
there there
their their
other other
with with

A

1. The **t** and **h** work together to make the **th** sound. Draw a ring around each **th** in the spelling words.

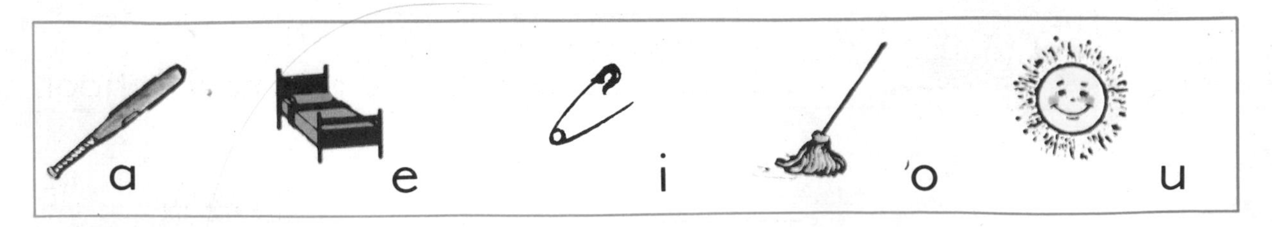

2. Say **that, them,** and **then.** On the line below, write the word which has the vowel sound you hear in [bat picture].

____

____

____

3. Write the two words which have the same vowel sound

as [bed picture] . ______________ ______________

B

1. Which word rhymes with **say?** ______________

2. Write **this.** ______________ Now write the picture word with the same vowel sound as **this.** ______________

3. The words **there** and **their** sound the same. Here is how we use **there** and **their.**

There is our house.

That is **their** house.

Use **their** and **there** to complete these sentences.

______________ is our new school.

I played at ______________ house.

______________ house is over ______________.

that	then	this	there	other
them	they	the	their	with

C

1. Write the spelling words.

2. Write a sentence using **they** and **their.**

3. Look at the word tower you can build with **that.**

		a	
		a	t
	h	a	t
t	h	a	t

Make a word tower with the word **this.**

D * BUILDING WORDS

1. Write **m, c,** and **p** in place of **th** in **that.**

2. Write **h, m,** and **t** in place of **th** in **then.**

3. Write **n** in place of **th** in **with.**

MORE TO DO

The thimble th stands for the **th** sound. Add missing letters.

1. Come _ _ th me.
2. Th _ books belong to th _ _.
3. First comes spring, th _ _ summer.
4. Do you know th _ _ girl?
5. Th _ _ is my father.
6. Th _ _ like th _ _ _ school.

The house is over **there.**

That is **their** house.

Even big boys and girls get mixed up in spelling **there** and **their.** Write **there** or **their** on the lines in these sentences.

1. That is my father over ________.
2. ________ is my big brother.
3. That is ________ new car.
4. ________ new house is pretty.
5. My teacher is standing over ________.
6. We may not use ________ books.
7. They will play over ________ until ________ new yard is ready.

E * TEST * Turn to page 137.

UNIT 29 er ENDINGS

her	*her*	sister	*sister*
over	*over*	after	*after*
father	*father*	water	*water*
mother	*mother*	letter	*letter*
brother	*brother*	dinner	*dinner*

Ann helps her mother set the table for dinner. She puts a mat down first. Each mat has a letter. The mats have f for father, m for mother, b for brother, and s for sister. After dinner is over, Ann washes the dishes in hot water.

A

1. Read the story. Draw a line under each spelling word in the story.

   Which two letters end each spelling word? ______ ______

2. Write the three words which are spelled with **th.** Draw a ring around the **th** in each of the words.

B

Read the story again. Then write the missing words below.

Ann helps ________ mother. She sets the table

for ________. Each mat has a ________.

The four who eat are ________, ________,

________, and ________.

Ann washes the dishes ________ dinner is ________.

Ann washes the dishes in hot ________.

her	father	brother	after	letter
over	mother	sister	water	dinner

C

1. Here are the **a-b-c**'s. Make sure you know them.

a b c d e f g h i j k l m

n o p q r s t u v w x y z

2. Write your new words the way the **a-b-c**'s come.

D

1. We add **s** to some words to make them mean more than one. Write **s** after **father, mother, brother,** and **sister.**

2. Read these words. Draw a ring around the **er** endings.

hammer

summer

winter

trainer

* MORE TO DO *

Write the story the pictures tell. Use your spelling words **father, letter, dinner, mother, sister, brother, her, water, over, after.**

E * TEST * Turn to page 138.

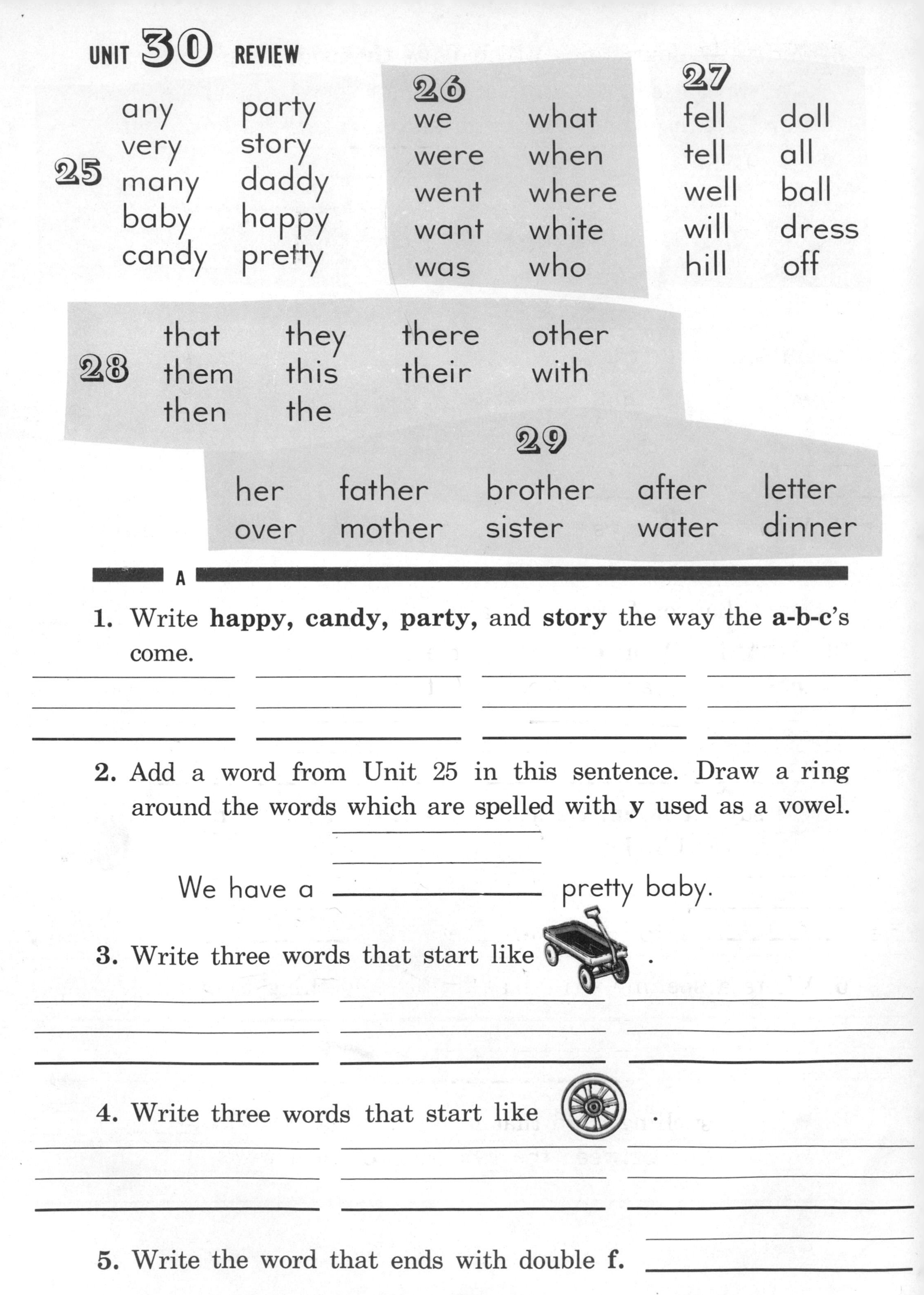

UNIT 30 REVIEW

25

any	party
very	story
many	daddy
baby	happy
candy	pretty

26

we	what
were	when
went	where
want	white
was	who

27

fell	doll
tell	all
well	ball
will	dress
hill	off

28

that	they	there	other
them	this	their	with
then	the		

29

her	father	brother	after	letter
over	mother	sister	water	dinner

A

1. Write **happy, candy, party,** and **story** the way the **a-b-c**'s come.

2. Add a word from Unit 25 in this sentence. Draw a ring around the words which are spelled with **y** used as a vowel.

We have a ________ pretty baby.

3. Write three words that start like [wagon].

4. Write three words that start like [wheel].

5. Write the word that ends with double **f.**

6. Write the four words which have **th** inside them.

7. Write the two **th** words which sound the same.

B

1. Write **s** after **doll, hill, kitten,** and **ball.**

2. Why must we use **es** instead of **s** to make **dress** mean more than one? Write **es** after **dress.**

3. We write **d** or **ed** after some words. We say, "Today I **look.** Yesterday I **looked.**" Write **ed** after **dress** and **want.**

4. We say, "I **keep.** He **keeps.**" Write **s** after **want** and **tell** to fill the blanks.

He ______ to go home. Everyone ______ me about it.

5. Write a spelling word that means something to drink.

6. Write a spelling word that means a girl's toy.

7. Draw a line between the two parts of each word.

ba by	fa ther	din ner	dad dy
af ter	sis ter	let ter	par ty

1. Look at these word towers which you can make with **there** and **many.**

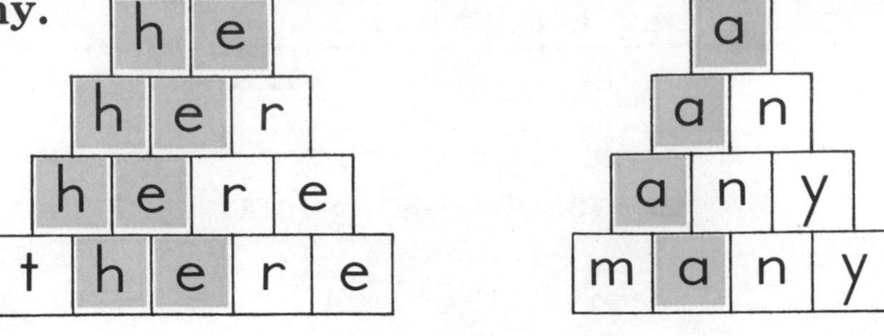

2. Make your own word towers for **where, want,** and **when.**

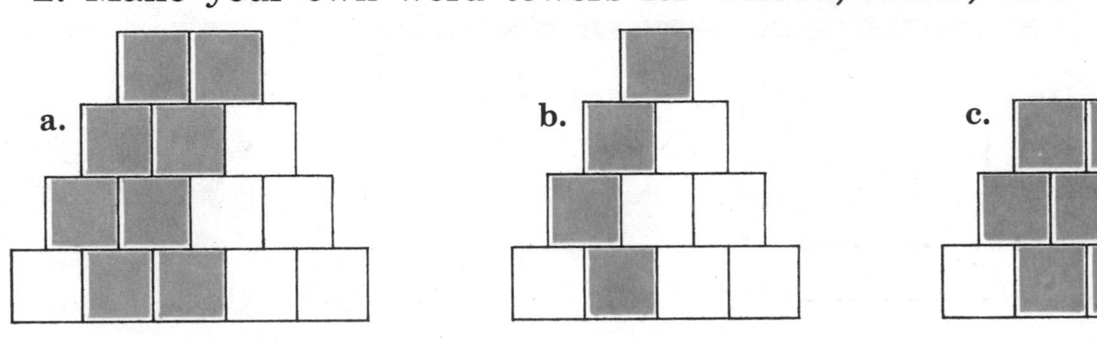

3. Write the picture words.

The likes to eat a cane. The

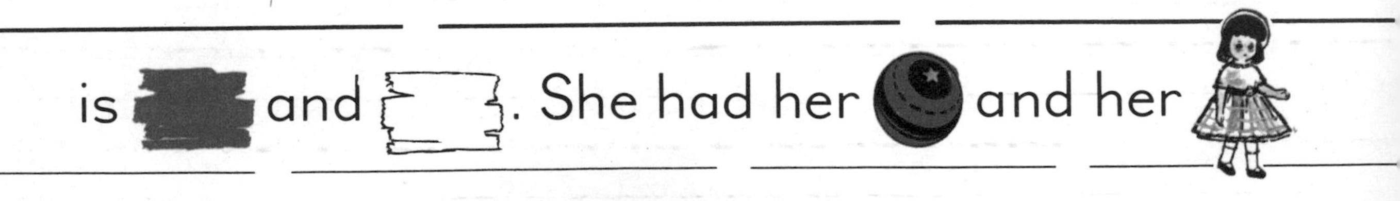

is and . She had her and her

at the party. Her said, "She will not eat

her after all that .

D

Write the story the pictures tell. You will be able to use many of your spelling words.

E * TEST * Turn to page 142.

UNIT 31 LETTERS THAT WORK TOGETHER

she	shall	fish	wish
she	*shall*	*fish*	*wish*
chair	teacher	much	lunch
chair	*teacher*	*much*	*lunch*
long	sing	bring	going
long	*sing*	*bring*	*going*

She can't catch fish sitting in a chair. We are going in a boat.
I wish you luck, Mother. You won't catch much.
Don't be gone too long. Bring some fish for lunch.

When I sing to them, they jump on the hook. Shall I show you how?
We didn't get a thing.

A

1. Read the story. Draw a line under each spelling word.
2. The words all have letters which work together. Which two letters make one sound in **chair, teacher, much,** and **lunch?** _____ _____

   Which two letters make one sound in **she, shall, fish,** and **wish?** _____ _____

   Which two letters make one sound in the last four words in the list? _____ _____

3. We add **ing** to some words to make new words. Our word **going** is the little word **go** with **ing** added. Write **fish, sing,** and **wish.** Add **ing** to each word.

4. Write **d** in place of the **f** in **fish.**

B

1. Write **chair** and **teacher.** Cross out the vowel you do not hear in each.

2. Write **much** and **lunch.** Draw a ring around **ch.**

3. Write each word that ends with **ng.**

C

1. Write **she, shall, fish,** and **wish.**

2. These words begin with the first sound you hear in **she.** Draw a ring around the **sh** in each word.

ship shop shut shell shine

3. Use the **ing** ending of **sing** to make two more words.

r w → ing

D

Read the picture story on page 108 again. Then write the missing words below.

Mother said, "Don't be gone too ________."

Father said, "________ can't catch ________ sitting in a ________. We are ________ in the boat."

Jack said, "I ________ you luck. You won't catch ________."

* MORE TO DO *

Here are three crossword puzzles. You will use your unit spelling words and a few others, too.

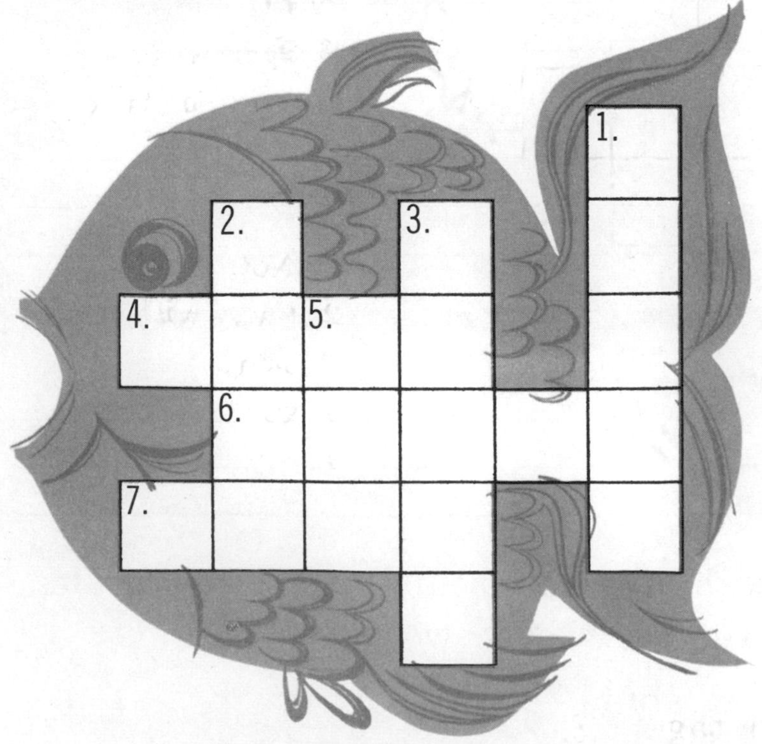

THE **SH** PUZZLE

ACROSS

4. Best swimmer.
6. Will.
7. Place to keep tools.

DOWN

1. You find it in the sand on the beach.
2. Want or long for.
3. Out of the sunshine; in the ____.
5. Word for girl.

THE **CH** PUZZLE

ACROSS

3. A lot.
5. It's under your mouth.
6. What teachers do.

DOWN

1. You eat it at noon.
2. You can sit on it.
4. Every one.

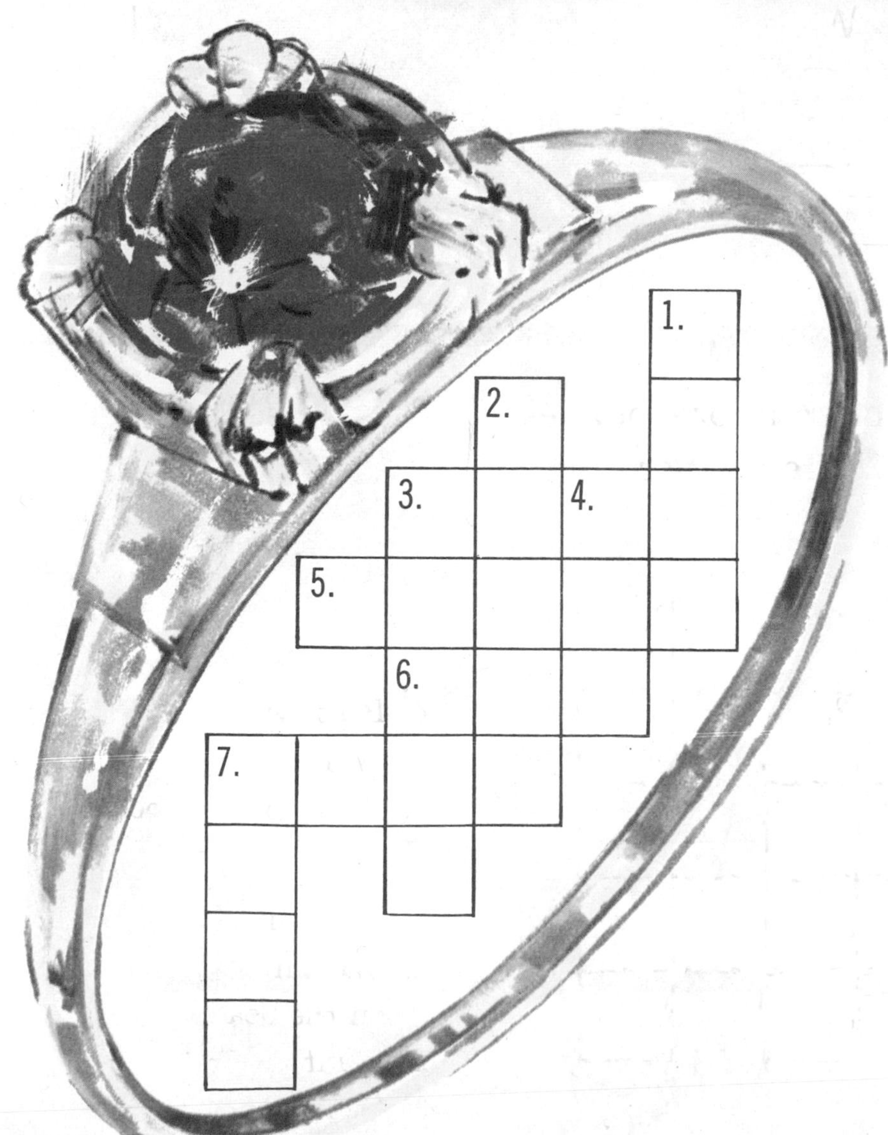

THE **NG** PUZZLE

ACROSS

3. Big smile.
5. **do + ing.**
6. Same as 4 down.
7. What birds do.

DOWN

1. Not short.
2. Carry with or take along.
3. **go + ing.**
4. A word ending.
7. What you sing.

E * TEST * Turn to page 138.

UNIT 32 TWO LETTERS MAKE ONE SOUND

A

1. Look at Unit 20 on page 68. The **ow** spelled the **ou** sound in **cow.** Say **snow, know, show, grow, own,** and **yellow.** What vowel does the **ow** spell in these words? ____
2. Say **day, may, say, play, away,** and **today.** Listen for the long **a** sound. Which letters spell this vowel sound? ____ ____
3. Write **snow, grow, own,** and **yellow.** Draw a ring around the **ow** in each word.

B

1. The words **know** and **no** sound the same, but they do not mean the same thing. Write **know.** Cross out the letters you do not hear. ____

2. Add **no** or **know** in the blanks.

I have ________ time to play. I ________ how to get home.

3. How many sounds in **show?** ____ How many letters? ____

Write **show.** ________

4. Write **yellow.** Draw a line after the first **l** to cut the word into parts.

____

C

1. Say **day, say, may,** and **play.** The **ay** makes the name of the letter ____. Write **day, say, may,** and **play.** Cross out the letter you do not hear.

________ ________ ________ ________

GAME TODAY!

a

y

2. **Today** has two parts.

Write the first part. ________

Write the second part. ________

Now write it all. ________

snow	show	own	day	say	away
know	grow	yellow	may	play	today

3. **Away** has two parts.

Write the first part. ________

Write the other part. ________

Now write it all. ________

4. Write a word from the list that rhymes with **grow**. ________

D

1. Write the word from the list that begins with **ow**. ________

2. Write **ed** after **own, snow, play,** and **show.** ________

3. Write **own, snow, know, show, grow,** and **play.** Add **s** to each word.

4. Write the spelling words that begin the same as these picture words. Listen for the second letters.

a.

b.

c.

* MORE TO DO *

What a funny school! The teacher has mixed up the spelling words. Can you write the words the right way?

apy	______	wonk	______
wons	______	wno	______
oady	______	wrog	______
welloy	______	yad	______
wosh	______	ayaw	______
yas	______	aym	______

E * TEST * Turn to page 139.

Second Grade Room

Dear Jack,

How is the sick boy? Did you get the toy we sent you? We have a new pet. She is a big black hen. She is sitting on some eggs. Soon we will have little chicks.

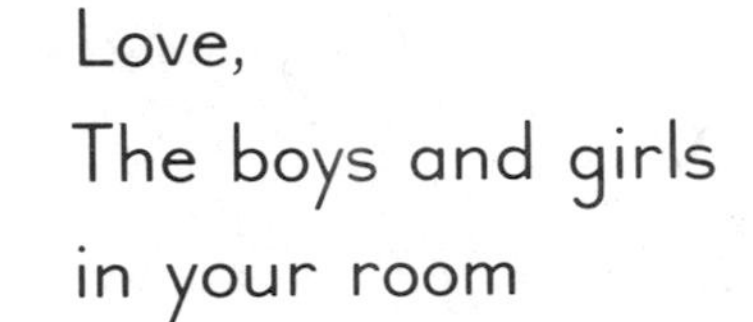
Love,
The boys and girls
in your room

big	*big*	you	*you*
pet	*pet*	your	*your*
second	*second*	some	*some*
little	*little*	love	*love*
grade	*grade*	boy	*boy*
black	*black*	toy	*toy*

A

1. Read the letter. Say the new spelling words. Draw a line under each new spelling word in the letter.
2. Write the two words that have the vowel sound in .

3. Write the two words that have the vowel sound in  .

4. Write the two words that have two parts each. Draw a line after the **c** to cut the first word.

B

1. Write **grade.** Cross out the vowel that you do not hear.

2. Write **you** and **your.**

3. Say **black** slowly.
Which sounds do you hear?

Which letters are used to spell the **k** sound?

4. Write **some** and **love** in the spaces.

I would ______ to have ______ candy.

C

1. Say the sound the **oy** makes in **toy** and **boy.** Write **toy** and **boy.** Write **s** after each. Say the new words.

big second grade you some boy
pet little black your love toy

2. Add the spelling words.

Soon there will be ______ chicks.

Their pet is a ______ ______ hen.

The children are in the ______ grade.

3. Put **second, your, black, little,** and **toy** beside their starting letters.

a b ______ c d e f g h i j k l ______ m n o p

q r s ______ t ______ u v w x y ______ z

D * BUILDING WORDS

1. Write **c** in place of the **s** in **some.** ______

2. Write **g** before **love.** ______

3. Write **m** in place of the **gr** in **grade.** ______

4. Make three new words by writing **l, m,** and **w** in place of the **p** in **pet.** ______ ______ ______

MORE TO DO

Write the story the pictures tell. Use your spelling words **boy, big, black, second, grade, pet, little, you, your, some, love, toy.**

E * TEST * Turn to page 139.

give give
gave gave
on on
one one
his his
had had
car car
for for
first first
work work
three three
been been

A

1. After we write, we must always read what we have written. Read this sentence:

   × Father gav us a dime yesterday.

   Which word is wrong? Put an × on it. Now find the word in the spelling list. Write the word the right way.

   ____

   Draw a ring around **gave** in this sentence.

   Father gave us a dime yesterday.

2. Do these sentences the way you did the sentence on page 120.

× The hen is one her nest.

× One and on are two.

3. Write each spelling word.

4. Draw a ring around the spelling words in these sentences.

I will give you the first word.

I have been there three times.

B

Find each wrong word. Put an × on it. Write the word the right way.

× This is has book.

× Father drives our cur.

× One and two are tree.

× Please gave me the book.

give	on	his	car	first	three
gave	one	had	for	work	been

C

Find each wrong word. Put an X on it. Write the word the right way.

X Jack is in the fist grade. ______

X Call four me. ______

X He has bin here before. ______

X I has two dollars yesterday. ______

X We worm hard at school. ______

D

Write the right words to fill the spaces.

1. Father went to ______ today.
2. Today I have. Yesterday I ______.
3. We have ______ there before.
4. I had ______ dime in my hand.
5. Yesterday I ______ the dog a bone.

* MORE TO DO *

Work the puzzle by filling in the right words.

ACROSS

1. To like to have.
5. **one – e.**
6. Daddy.
9. **sit – s.**
10. 2 + 1.
12. **not – t.**
15. **his – h.**
17. Same as number 6 down.
19. **h + sad – s.**
21. 5 – 4.
22. **g + live – l.**
23. I am. They ____.
26. Dogs eat ____.
27. **d + hear – h.**
29. **s + at.**
30. **soon – on.**
32. **snow – w – n.**
33. 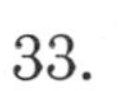 

1.	2.					3.		4.	
5.				6.	7.				
		8.		9.					
		10.	11.					12.	13.
	14.		15.				16.		
17.		18.				19.		20.	
21.					22.				
		23.	24.	25.		26.			
		27.							
28.		29.						30.	31.
32.					33.				

DOWN

1. What fathers do all day.
2. **and – d.**
3. **cat – c.**
4. **b + seen – s.**
6. It's what comes before **second.**
7. **hat – h + e.**
8. **sit – s.**
11. **this – t.**
13. **for – f.**
14. **w + in.**
16. Write **a** for **i** in **give.**
17. **f + or.**
18. **read + s.**
19. **her** ↔ ___ ___ ___.
20. **d + ear + s.**
24. Books are to ____.
25. Candy is to ____.
28. **bus – b.**
31. **off – f.**

E * TEST * Turn to page 140.

do	*do*	yes	*yes*	girl	*girl*
my	*my*	put	*put*	from	*from*
of	*of*	live	*live*	blue	*blue*
old	*old*	said	*said*	would	*would*

A

Use your unit list to fill in the missing words. The lines will tell you how many letters are in each missing word. The first letter is given for three of the missing words.

1
What __ __ you want to __ __ after school?
2
W__ __ __ __ you like to come home with me?
Y__ __, I would. Where __ __ you __ __ __ __, Mary?
3
In the second house __ __ __ __ the corner. It is an __ __ __ house. It has a __ __ __ __ door.
Oh, __ __ __ __ is the color __ __ my front door, too.

P ___ ___ your books away so we can go. Mother ___ ___ ___ ___ I could bring a ___ ___ ___ ___ ___ home.
4

B

1. Write a word from the list that begins like (moon picture). ______
2. Write a spelling word that begins like the name of each picture.

a. 

b. 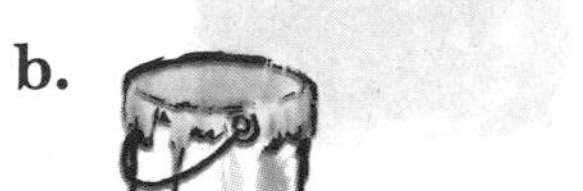

c. 

d. 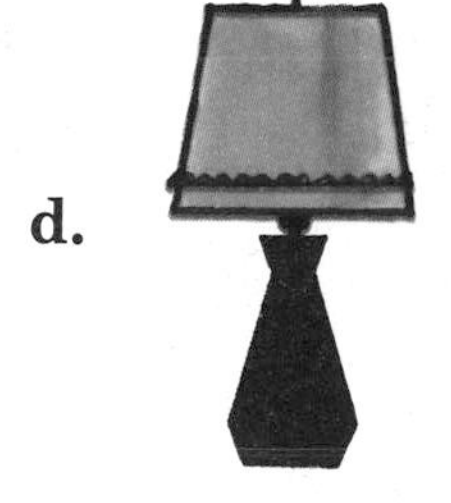

e. 

f. 

g. 

h. 

i. 

do	of	yes	live	girl	blue
my	old	put	said	from	would

C

1. Write **blue, would, yes,** and **said** the way the **a-b-c**'s come.

l i v e s d

2. Write **live.** Add **s.** Write **live** again. Add **d.**

3. What are the two words from the list that rhyme with **to?**

D * BUILDING WORDS

Remember to say the new words as you write them.

1. Make three new words by writing **b, fl,** and **wh** in place of the **m** in **my.**

2. Write **g** in place of the **m** in **from.**

3. Write **sh** in place of **w** in **would.** Write **c** in place of **w.**

4. Write **s** after **put** and after **girl.**

* MORE TO DO *

You will need to think of rhyming words to work this puzzle. Start with hand number 1. Write the words by beginning where each finger points. Use all the words in Units 34 and 35.

Write the words that rhyme with:

1. save	5. by	9. foot	13. give	17. fun	21. is
2. curl	6. guess	10. jerk	14. told	18. gone	22. or
3. live	7. head	11. could	15. pin	19. bad	23. worst
4. come	8. who	12. far	16. do	20. see	24. love

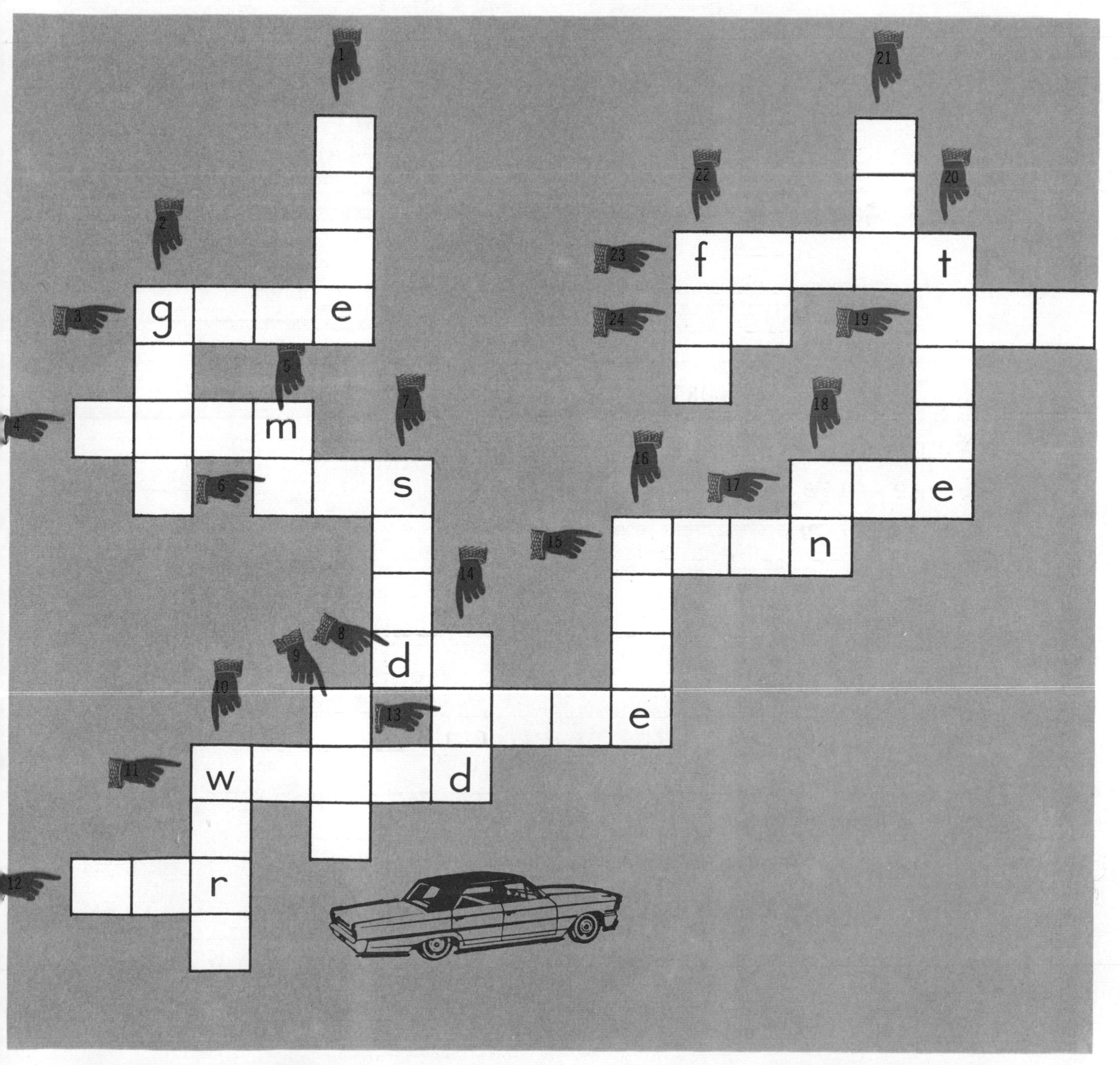

E * TEST * Turn to page 140.

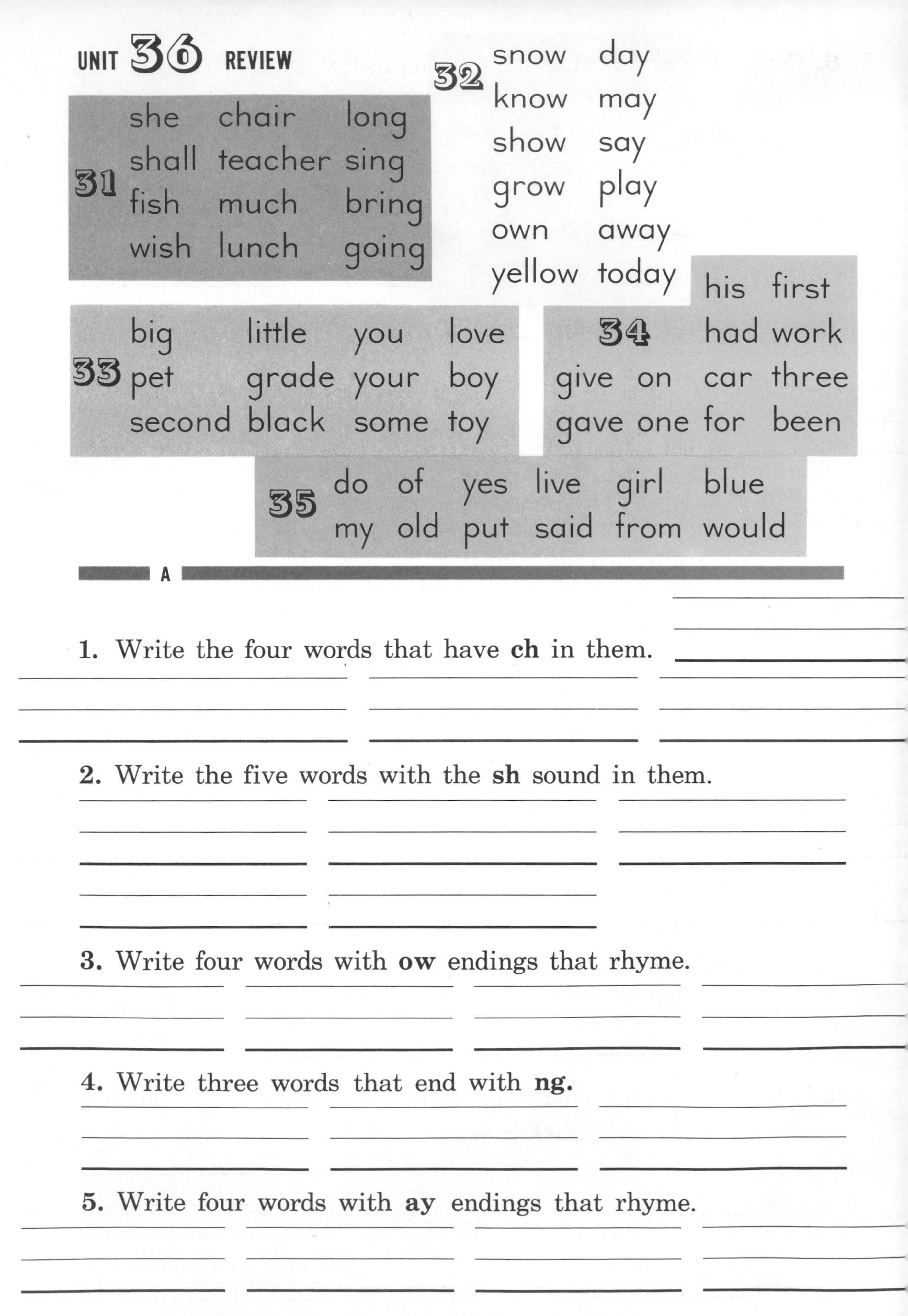

UNIT 36 REVIEW

31

she	chair	long
shall	teacher	sing
fish	much	bring
wish	lunch	going

32

snow	day
know	may
show	say
grow	play
own	away
yellow	today

33

big	little	you	love
pet	grade	your	boy
second	black	some	toy

34

		his	first
		had	work
give	on	car	three
gave	one	for	been

35

do	of	yes	live	girl	blue
my	old	put	said	from	would

A

1. Write the four words that have **ch** in them.

2. Write the five words with the **sh** sound in them.

3. Write four words with **ow** endings that rhyme.

4. Write three words that end with **ng.**

5. Write four words with **ay** endings that rhyme.

6. Write the words that say the names of these pictures.

a.

b.

c.

B

1. Write **three, work, play,** and **for** the way the **a-b-c**'s come.

2. Write **car** and **pet.** Add **s** to each word.

3. Write a word that begins with a **k** you do not hear.

4. There are seven words in the review lists that have two parts when you say them. One of these words is **teach/er.** Find and write the other six. Draw a line between the parts.

5. Write two words with **oy** endings that rhyme.

6. After each word write the word that means the opposite. The first one is done for you.

big ⟷ little

no ⟷

last ⟷

white ⟷

C

1. We spell the **ou** sound, as in **how** or **out,** with ______ or ______.
Write the picture words.

a. 

b.

c. 

d. 

2. We spell the **k** sound in these words with ______ or ______.
Write the picture words.

a. 

b. 

c. 

d. 

3. Write the picture words. Then write words to rhyme with the words on the left.

a. 

b. 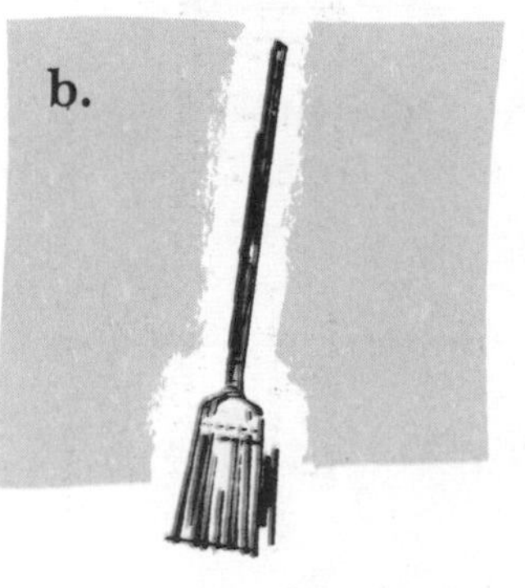

c. 

d. 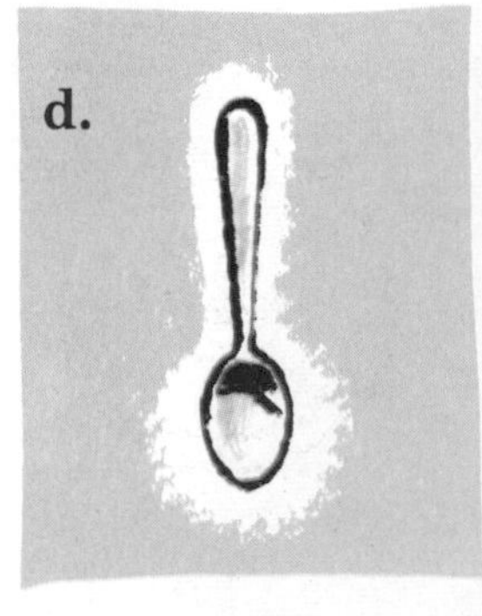

4. The **y** at the end of many words has the sound of the vowel in . Write the picture words.

a. 

b. 

D

1. Sometimes we write two letters but hear only one. Write the picture words. Cross out the letters you do not hear.

a. 

b. 

c. 

d. 

2. The **sh, ch, th,** and **wh** each spell one sound. Write the picture words.

a. 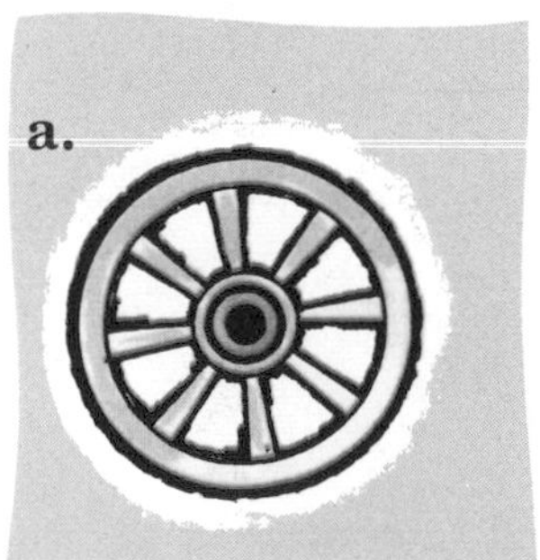

b. 

c. 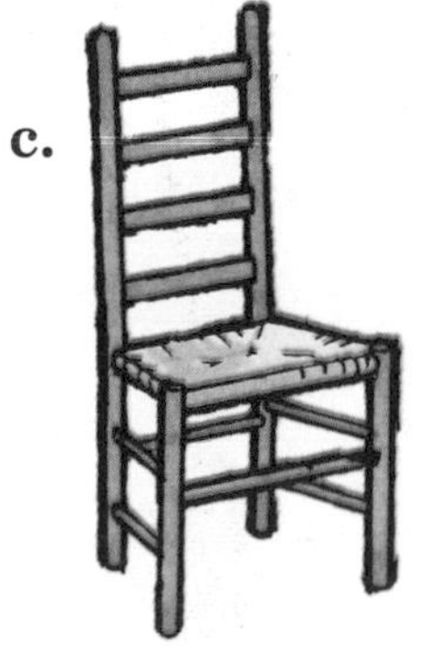

d. 

E * TEST * Turn to page 142.

UNIT 7 TEST

1.
2.
3.
4.
5.
6.

UNIT 8 TEST

1.
2.
3.
4.
5.
6.

UNIT 9 TEST

1.
2.
3.
4.
5.
6.

UNIT 10 TEST

1.
2.
3.
4.
5.
6.

UNIT 11 TEST

1.
2.
3.
4.
5.
6.

Words I need to learn.

After each test, fill in your Spelling Record on the inside back cover.

UNIT 13 TEST

1.

2.

3.

4.

5.

6.

UNIT 14 TEST

1.

2.

3.

4.

5.

6.

UNIT 15 TEST

1.

2.

3.

4.

5.

6.

UNIT 16 TEST

1.

2.

3.

4.

5.

6.

UNIT 17 TEST

1.

2.

3.

4.

5.

6.

Words I need to learn.

UNIT 19 TEST

1.
2.
3.
4.
5.
6.
7.
8.

UNIT 20 TEST

1.
2.
3.
4.
5.
6.
7.
8.

UNIT 21 TEST

1.
2.
3.
4.
5.
6.
7.
8.

Words I need to learn.

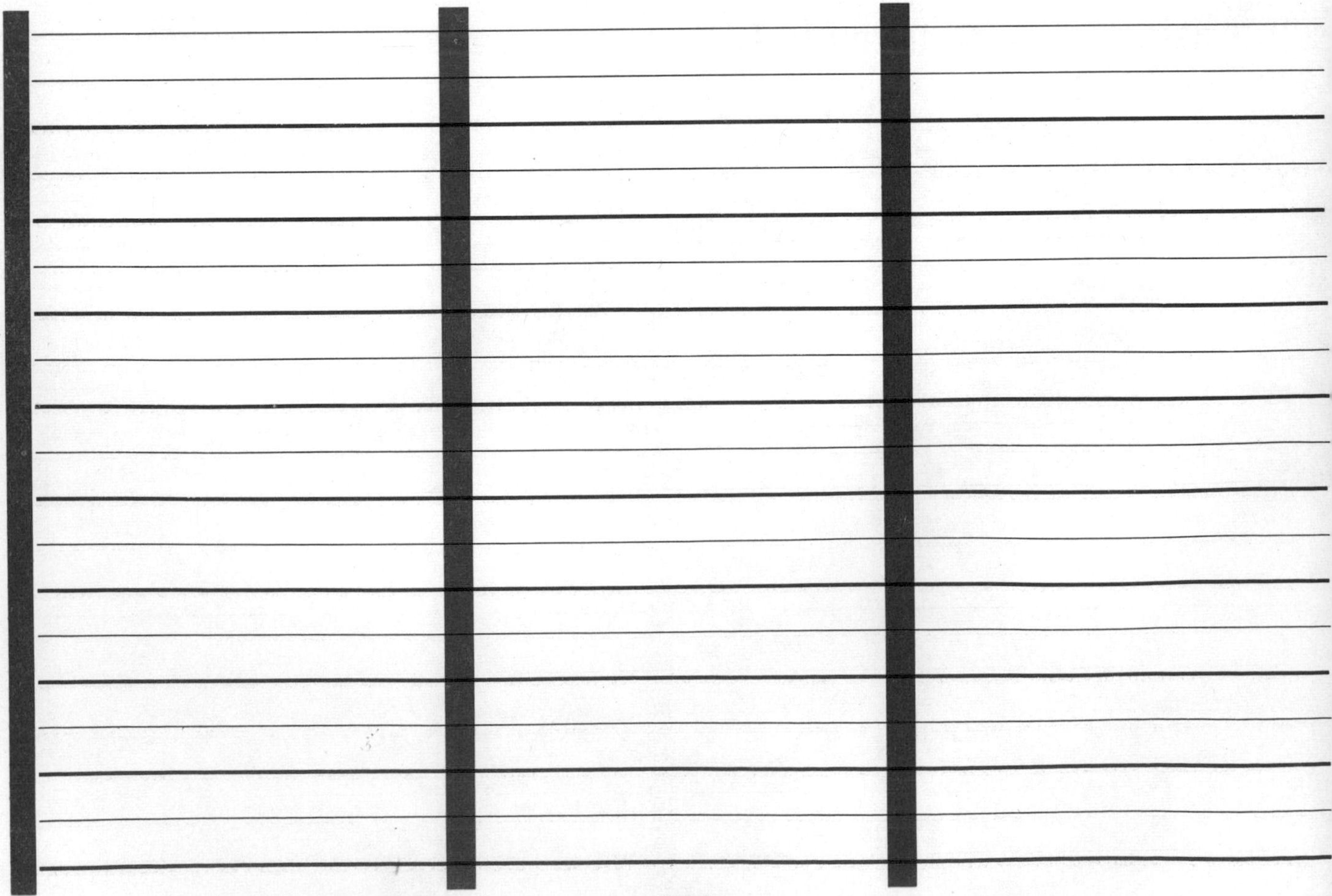

UNIT 22 TEST

1.

2.

3.

4.

5.

6.

7.

8.

UNIT 23 TEST

1.

2.

3.

4.

5.

6.

7.

8.

Words I need to learn.

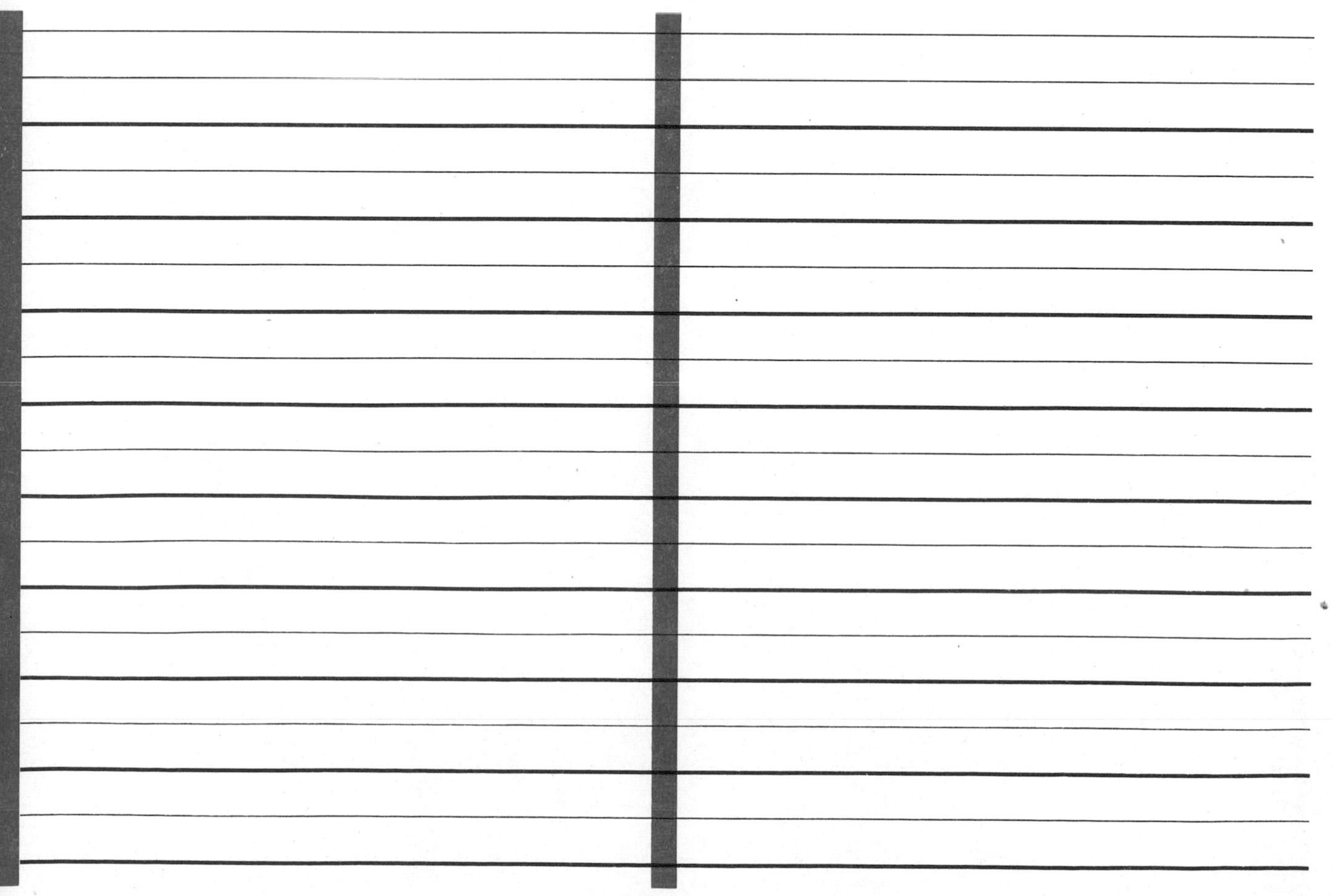

UNIT 25 TEST

1.
2.
3.
4.
5.
6.
7.
8.
9.
10.

UNIT 26 TEST

1.
2.
3.
4.
5.
6.
7.
8.
9.
10.

Words I need to learn.

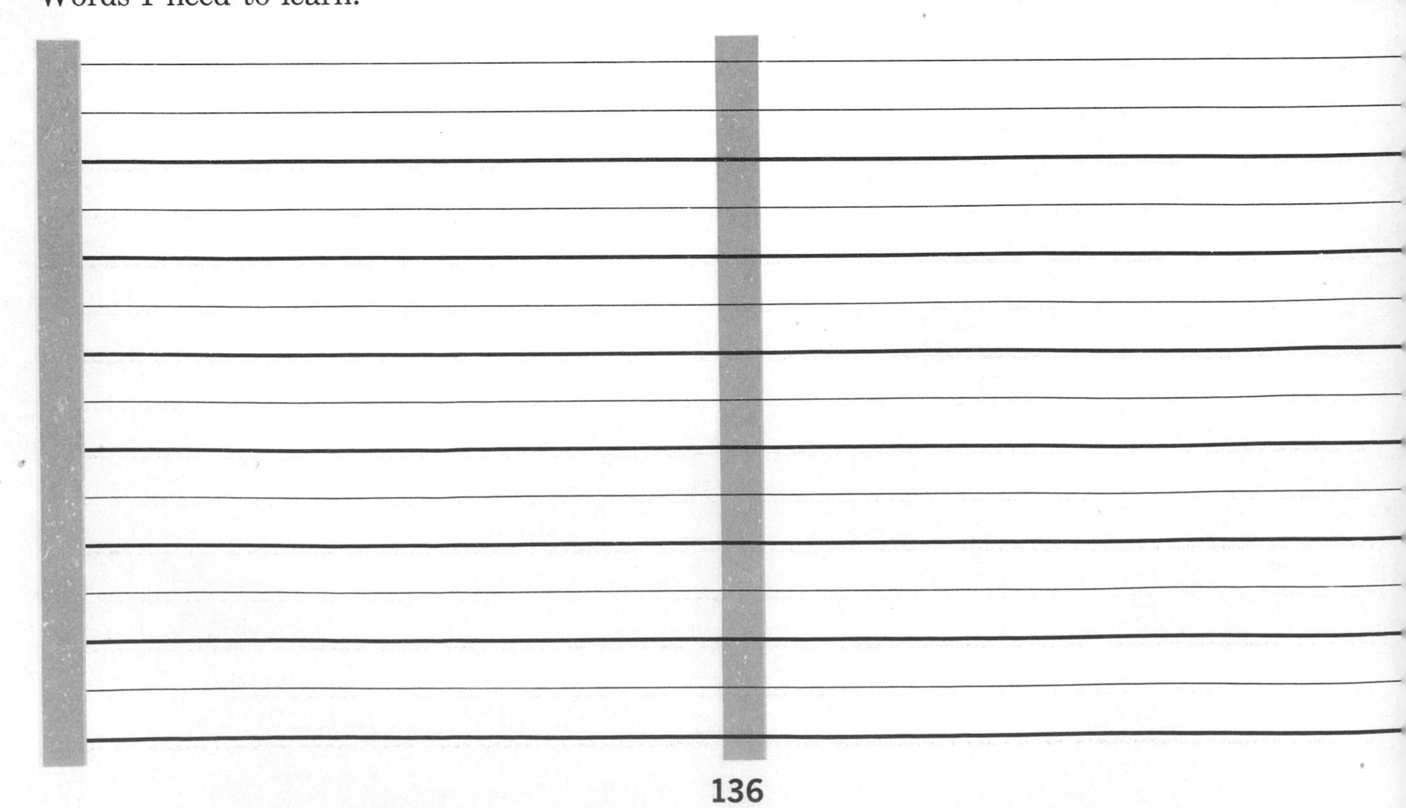

UNIT 27 TEST

1.
2.
3.
4.
5.
6.
7.
8.
9.
10.

UNIT 28 TEST

1.
2.
3.
4.
5.
6.
7.
8.
9.
10.

Words I need to learn.

UNIT 29 TEST

1.
2.
3.
4.
5.
6.
7.
8.
9.
10.

UNIT 31 TEST

1.
2.
3.
4.
5.
6.
7.
8.
9.
10.
11.
12.

Words I need to learn.

UNIT 32 TEST

1.
2.
3.
4.
5.
6.
7.
8.
9.
0.
1.
2.

UNIT 33 TEST

1.
2.
3.
4.
5.
6.
7.
8.
9.
10.
11.
12.

Vords I need to learn.

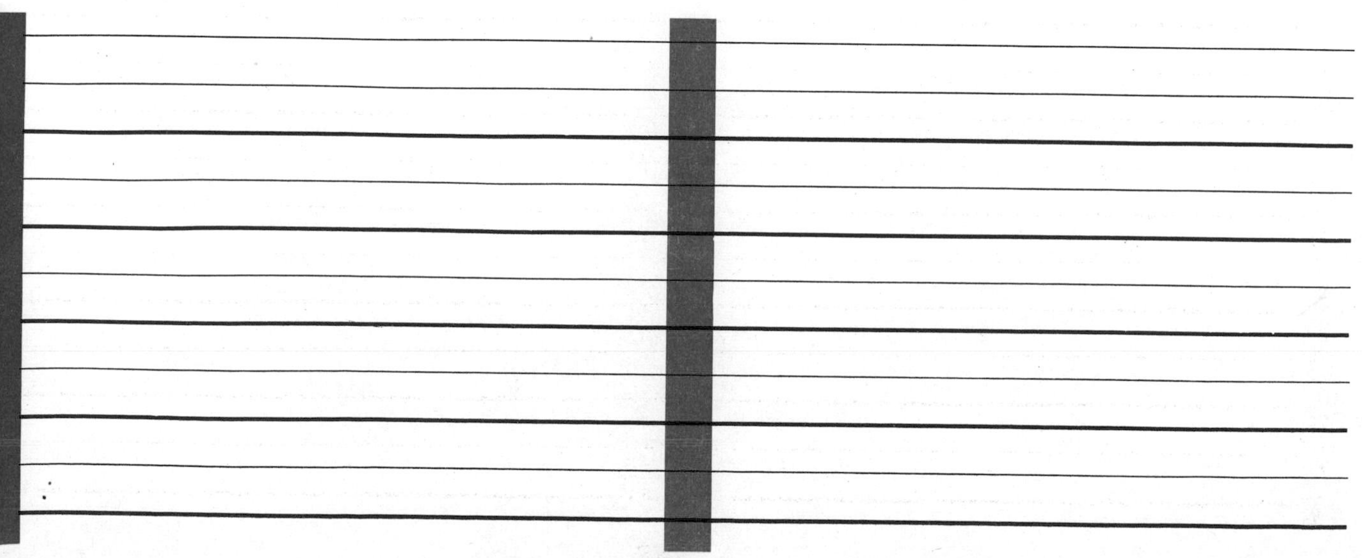

UNIT 34 TEST

1.
2.
3.
4.
5.
6.
7.
8.
9.
10.
11.
12.

UNIT 35 TEST

1.
2.
3.
4.
5.
6.
7.
8.
9.
10.
11.
12.

Words I need to learn.

UNIT 12 REVIEW TEST

UNIT 18 REVIEW TEST

1.

2.

3.

4.

5.

6.

UNIT 24 REVIEW TEST

Words I need to learn.

UNIT 30 REVIEW TEST

1.
2.
3.
4.
5.
6.
7.
8.
9.
10.

UNIT 36 REVIEW TEST

1.
2.
3.
4.
5.
6.
7.
8.
9.
10.
11.
12.

Words I need to learn.